LE DERNIER
CAMELOT

Catalogage avant publication de Bibliothèque et Archives nationales du Québec et Bibliothèque et Archives Canada

Lavoie, Marie-Renée, 1974-

Le dernier camelot

Pour les jeunes de 11 ans et plus.

ISBN 978-2-89781-108-2

I. Titre.

PS8623.A851F64 2018   jC843'.6   C2017-942135-2
PS9623.A851F64 2018

Les Éditions Hurtubise bénéficient du soutien financier du gouvernement du Québec par l'entremise du programme de crédit d'impôt pour l'édition de livres et de la Société de développement des entreprises culturelles du Québec (SODEC). L'éditeur remercie également le Conseil des arts du Canada de l'aide accordée à son programme de publication.

Financé par le gouvernement du Canada | Canadä

Conception graphique: René St-Amand
Illustration de la couverture: Julie Rocheleau
Maquette intérieure et mise en pages: Martel en-tête

Copyright © 2018, Éditions Hurtubise inc.

ISBN: 978-2-89781-108-2 (version imprimée)
ISBN: 978-2-89781-110-5 (version numérique PDF)
ISBN: 978-2-89781-109-9 (version numérique ePub)

Dépôt légal: 1er trimestre 2018

Bibliothèque et Archives nationales du Québec
Bibliothèque et Archives Canada

Diffusion-distribution au Canada: Diffusion-distribution en Europe:
Distribution HMH   Librairie du Québec/DNM
1815, avenue De Lorimier   30, rue Gay-Lussac
Montréal (Québec) H2K 3W6   75005 Paris FRANCE
www.distributionhmh.com   www.librairieduquebec.fr

MARIE-RENÉE LAVOIE

LE DERNIER CAMELOT

Hurtubise

De la même auteure

La curieuse histoire d'un chat moribond, Montréal, Hurtubise, 2014.

Zazie, Tome 1, Ça va être correct, roman, Montréal, Hurtubise, 2015.

Zazie, Tome 2, C'est poche!, roman, Montréal, Hurtubise, 2016.

Zazie, Tome 3, C'est pas grave!, roman, Montréal, Hurtubise, 2016.

Une autre curieuse histoire d'un chat moribond, Montréal, Hurtubise, 2017.

La petite et le vieux, Montréal, XYZ, 2010.

Le syndrome de la vis, Montréal, Montréal, XYZ, 2012.

Autopsie d'une femme plate, Montréal, XYZ, 2017.

*À tous les enfants camelots
qui se sont noirci les mains, jadis,
sur les pages de notre histoire.*

1

Les dieux

Je croyais que distribuer les journaux serait beaucoup plus facile. Vraiment beaucoup plus facile. Mais finalement, c'est presque aussi difficile qu'un métier de l'ancien temps. Presque, faut pas exagérer.

Dans les films où j'avais vu des camelots, ils se baladaient en vélo, la poche sur le dos, et lançaient leurs journaux pliés en rouleaux comme si c'étaient des frisbees. Même qu'ils sifflaient, la plupart du temps, pour en rajouter. C'est n'importe quoi. Dans la vraie vie, on ne peut pas lancer les journaux au gré de notre fantaisie, les clients ont des exigences bien particulières : il y a ceux qui le veulent déposé dans la boîte aux lettres, ceux qui le préfèrent sous le tapis ou debout dans l'entre-porte et ceux qui ont des cachettes secrètes dans des endroits un peu invraisemblables (niche du chien, boîte à fleurs, etc.). Personne ne m'a jamais dit : « Garroche-le où tu veux, je vais m'arranger pour le retrouver ! » Et une poche pleine de journaux, c'est un vrai sac de briques qui pèse une tonne. Faire du vélo avec ça relève de l'exploit. C'est tellement lourd que j'ai fini par accepter d'utiliser la charrette que mon père m'avait dégotée je ne sais trop où.

Bon, elle n'est pas forcément à mon goût, c'est plus une charrette du genre mémé-s'en-va-à-l'épicerie, mais à l'heure où je me promène dans les rues, ça n'a aucune importance. Je mets les journaux dans la poche que je dépose ensuite dans la charrette et ça avance presque tout seul. Je dois reconnaître une chose : on ne s'est pas énervés le poil des jambes pour rien avec l'invention de la roue. La vie ne devait pas être facile avant elle.

En devenant camelot, je n'avais pas pensé au problème du réveil ni à celui du manque de sommeil. Comme mon père se lève tous les jours très tôt sans se plaindre pour aller travailler, j'ai pensé que ce serait facile pour moi aussi. Mais j'avais tout faux. Mon père pète le feu après une nuit de cinq heures ; pour moi, ce n'est qu'une petite sieste. On n'a pas les mêmes besoins, c'est comme ça. Je suis bien content pour lui, c'est très utile dans son métier : il est menuisier, mais tout le monde l'appelle l'« artiste ». Quand on lui donne carte blanche sur un chantier, il construit des bibliothèques dans les cages d'escaliers et des corridors aux murs ronds. Ce n'est pas pour le vanter, mais mon père fabrique des choses vraiment hallucinantes. D'ailleurs tout le monde veut l'engager. Il pourrait se diviser en dix qu'il ne répondrait pas à la demande. Visine dit qu'il a des doigts de fée, même si ses grosses mains noueuses pleines de cicatrices font plutôt penser à de la pâte à modeler séchée. Certains de ses ongles ne poussent plus, ou tout croche. Le bout de son index gauche a été emporté par une scie à chaîne, il y a belle lurette. Ses mains sont tellement maganées qu'on dirait qu'il a été torturé. Ça impressionne toujours mes amis.

Visine, c'est la voisine du rez-de-chaussée, notre mère d'une certaine façon, sauf qu'elle est vieille comme une arrière-grand-mère. Ce n'est pas son vrai nom, bien sûr, mais un dérivé de « voisine », mot que je n'arrivais pas à prononcer quand j'étais petit. Le nom lui est resté (et rien à voir avec les gouttes pour les yeux vendues en pharmacie). Visine n'a pas eu d'enfants, malheureusement, l'amoureux idéal ne s'est jamais pointé. Elle a « connu des hommes », comme elle dit, mais faut croire qu'ils ont tous passé leur chemin puisqu'elle est restée seule avec ses fabuleuses recettes de tartes et son envie d'aimer.

Pour Lili, ma petite sœur, c'est notre vraie mère. Normal, elle n'avait qu'un an et demi quand notre mère est morte. Même moi, je m'en souviens très peu, et chaque jour un peu moins. L'image de ma mère est comme ces affiches qui pâlissent au soleil dans la vitrine chez Popo, le dépanneur du coin. Sans photos, j'aurais peut-être déjà oublié son visage. Depuis quelque temps, je l'appelle Marie, comme tout le monde. Le mot « maman » est une lame qui m'entaille les tripes. Vaut mieux que je l'évite, il me fait trop mal. Il me donne l'impression qu'elle est encore vivante.

En devenant camelot, il m'a aussi fallu affronter un adversaire de taille : la nuit. Je croyais qu'en allant travailler, la nuit ne serait plus tout à fait la nuit. Mais je me mettais le doigt dans l'œil jusqu'au coude : à 5 h 30 du matin, il fait beaucoup plus froid et plus noir que le jour (sauf l'été, mais il est tellement court que ça ne compte pas). Dans l'air glacial du matin, la noirceur flotte comme de la suie en suspension. Ça « nettoie les boyaux », dit Visine. Ça donne surtout la trouille et le rhume, si vous voulez mon avis. Chaque fois que je reviens de ma tournée, je m'étonne que mes dents soient encore blanches.

Heureusement, la nuit noire présente des avantages. D'abord, elle cache ma charrette blanche. Je trouve déjà assez gênant de trimbaler mes journaux dans un truc pareil, je me serais bien passé qu'elle soit d'une couleur aussi... délicate. « À cheval donné, on ne regarde pas la bride[1] », dit Visine. N'empêche, en gris métallique, ça aurait fait un peu plus sérieux.

Il est aussi possible, dans la nuit « noire comme le poêle », de se promener au beau milieu de la rue sans craindre quoi que ce soit : les immeubles forment une caisse de résonance qui amplifie le moindre bruit. Si un chat décide de me suivre, j'entends le contact feutré de ses coussinets sur l'asphalte. Si un oiseau crotte en volant, le splash crémeux de sa merde semi-liquide se répercute jusqu'à moi. Le vrombissement des moteurs de voitures qui passent au loin parcourt sans problème le fond sonore inoccupé pour atteindre mon oreille. Et je ne croise jamais personne. Dans les petits matins noirs de mes tournées solitaires, je suis le dernier humain de la terre.

Bon, ce n'est pas tout à fait vrai : je croise le bras du bonhomme Saint-Onge

---

1. À cheval donné, on ne regarde pas la bride : si on te donne une chose, ne la critique pas. Dans les mots de mon père, ça deviendrait : quand quelqu'un te fait un cadeau, tu dis juste merci, pis tu chiales pas.

qui m'attend, comme un détective amateur, derrière ses rideaux jaunis. Ça se passe chaque fois de la même façon : je monte les quatre marches qui mènent au palier de sa maison, le tissu bouge derrière la porte qui s'entrouvre lentement, sans grincer, le vieux passe un bras et m'arrache le journal des mains sans me saluer ni me remercier. « Bonne journée vous aussi ! », que je lui lance, juste pour qu'il se sente mal. En fait, ça se passe si vite que je n'ai jamais réellement su s'il avait des jambes ou même une tête. Ce n'est peut-être qu'un bras de robot programmé pour ne pas entrer en contact avec les gens.

Au retour de ma tournée, ma petite sœur Lili m'attend toujours à la fenêtre de notre appartement. Elle ne fait que ça, guetter anxieusement mon arrivée, comme si j'étais parti à la guerre et qu'il était possible que je ne revienne pas. Je me demande même si elle respire quand je ne suis pas là. Visine, qui se pointe chaque matin quelques minutes avant le départ de mon père, a depuis longtemps cessé d'essayer de l'arracher aux rideaux. Alors je fais vite pour revenir avant qu'elle ne meure, asphyxiée par mon absence.

À mon retour, on s'assoit ensemble devant la télé pour manger nos céréales, qu'on aime sans lait – c'est de famille, on déteste tout ce qui est mou, même les mots qui contiennent la syllabe « mou » –, et on regarde des trucs débiles pour enfants qui font rire Lili aux larmes. Surtout si les personnages se tirent la queue ou font des rots ou des gros pets sonores. Et on est bien servis à la télé côté pipi-caca-crotte de nez. Une fois par semaine, je m'arrête au dépanneur chez Popo pour nous acheter des laits au chocolat ; un moyen pour moi, un petit pour elle. Avec des pailles qui plient. C'est un système de motivation que j'ai instauré pour nous récompenser tous les deux ; moi, de mon travail, elle, de son attente. Bien sûr, je pourrais en acheter tous les jours, des laits au chocolat, mais comme dit Visine, « ça goûte plus quand c'est juste de temps en temps ».

Peu importe ce qu'elle fait, ma sœur ne lâche jamais Crénini, son horrible minuscule bébé pingouin (ou poussin, ce n'est pas clair) en peluche noirci par la poussière et les saletés de toutes sortes. À l'origine, c'était un joli petit toutou tout rose, tout mignon et tout doux, mais comme elle le traîne partout, pleure dessus et se mouche dedans, il est absolument et irrémédiablement dégoûtant. Puisqu'elle n'arrive pas à décider si elle est droitière ou gauchère, elle le balance d'une main à l'autre toute la journée et s'en sert comme d'une extension de son corps. La seule fois où nous avons tenté de le laver, mon père et moi, Lili a fait une telle crise de nerfs en le voyant nager dans la laveuse qu'elle en a vomi. Nous n'avons pas cru bon de répéter l'opération. Ce condensé de crasse de 12 centimètres est chez nous une forme de dieu intouchable.

Notre appartement est trop petit, pas très joli, situé dans un quartier beige d'ennui. Mais si nous avions vécu ailleurs, il n'y aurait pas eu Visine juste en dessous, ce qui nous aurait beaucoup compliqué la vie. Elle sait cuisiner à merveille, coudre n'importe quoi, soigner n'importe quel bobo avec tout un tas de recettes bizarres. Elle aussi est une sorte de dieu pour nous, un dieu présent qui s'occupe vraiment de nous.

2

La chute

C'est donc en ne voyant pas Lili à la fenêtre, un beau matin, que j'ai su que ça ne tournait pas rond chez nous. Dans un réflexe de jambes incontrôlable, j'ai lâché la charrette qui est restée au beau milieu de la rue et j'ai volé jusqu'à notre appartement sans même frôler le sol.

Lili regardait Visine tombée par terre, étendue de tout son court sur le plancher de la cuisine. À quelques pieds de ce qui restait de l'assiette cassée, une rôtie s'était collée au sol, côté confiture, bien sûr. La petite main de Lili s'était ouverte sous le choc et Crénini, profitant de ce relâchement inespéré, vivait ses premiers moments de liberté depuis son tour dans la laveuse.

Mon père est arrivé presque en même temps que les ambulanciers. Tout le monde se démenait rapidement, avec précision. Ils ont ramassé emballé branché sauvé Visine en un temps record. Nous sommes restés bouche bée sur le trottoir, tous les trois, à écouter la sirène déchirer le matin de son cri perçant. Si ce n'était de la rôtie fichée comme un témoin sur notre plancher, on aurait pu croire que la catastrophe n'avait pas eu lieu.

Même si Visine n'est tombée que du haut de ses cinq pieds tout juste, sa chute a créé tout un tsunami chez nous. Mon père a dû prendre congé le temps que Lili retrouve la voix et le sommeil, et qu'on arrive à bouger normalement dans la maison. Le docteur ne pouvait pas dire combien de temps l'hospitalisation durerait. C'est fou à quel point une absence peut être encombrante. Il nous fallait aussi mettre au point une solution pour le gardiennage du matin et du soir. Mais il n'y en avait malheureusement pas trente-six, solutions, je le savais bien.

— Les journaux...

— Quoi, les journaux ?

— Va falloir arrêter, je vais avoir besoin de toi le matin…

— Non.

— Joe…

— Non.

J'ai besoin de cet argent pour me payer ce que mon père ne veut (ou ne peut) m'offrir. Mon forfait de cellulaire, par exemple. Et pour racheter ce qu'on me pique à l'école, parfois – « piquer » dans le sens de « taxer », évidemment. D'ailleurs, c'est grâce à l'argent des journaux que j'ai pu remplacer la dernière paire d'espadrilles que mon père avait accepté de m'acheter, après de longues négociations. Je ne pouvais pas lui raconter qu'on me les avait volées, il aurait été du genre à se pointer à l'école avec ses caps d'acier pour botter le cul de Big et sa gang de petits truands merdeux qui rampent à ses pieds. Je n'ose même pas imaginer le cauchemar que serait devenue ma vie après ça. Et porter plainte à l'école aurait été encore pire. Mourir à 13 ans ne faisait pas partie de mes projets de vie. Oui, j'endure comme les autres, je longe les murs et me tiens tranquille, pour essayer de me faire oublier, d'exister le plus discrètement possible. Mais non, je ne pouvais pas lâcher les journaux. Il n'y a pas 56 métiers possibles à 13 ans.

Je suis allé faire un tour en vélo pour réfléchir à ça et, partant de là, j'ai poussé jusqu'à l'hôpital où on essayait sans trop de succès de mettre un peu de jeunesse dans le cœur de Visine. Nous allions la voir tous les jours depuis qu'on autorisait les visites, même deux fois par jour quand c'était possible. Elle était plutôt mal en point, comme si elle avait sauté du toit de notre immeuble.

Quand elle m'a vu arriver, Visine a plissé les yeux puis m'a souri. Je me suis assis tout près d'elle, dans le vieux fauteuil défoncé placé là pour convaincre les visiteurs de ne pas trop traîner. C'était la première fois que je venais seul. Elle a tout de suite compris ce qui se passait, comme toujours. Avec elle, pas de secret. Elle devine ce que cache chacun de mes sourires, chacune de mes babounes. C'est presque inquiétant.

— La petite va mieux, j'suis contente.
— Oui.

— Ton père va pouvoir retourner travailler.

— Juste la semaine prochaine.

— Crénini a dû avoir la vie dure, ces derniers temps…

— Y est devenu croustillant tellement y est crasseux.

Son petit rire émietté m'a chaviré le cœur. Visine s'égrenait doucement. Le temps soufflait sur elle comme un vent cruel. Je ne pouvais rien faire pour la retenir. Lili ne s'en remettrait jamais.

— Va chercher ma sacoche.

— Ta sacoche ?

— Dans ma table de nuit, en bas complètement. Ouvre-la, pis donne-moi l'étui bleu qu'y a dedans.

J'ai toujours eu peur des sacs à main de femmes, je les imagine pleins de bébelles graisseuses et odorantes, quand elles ne sont pas coupantes ou carrément gênantes. Heureusement, mes doigts ont vite repéré l'étui de velours au fond du sac. Je l'ai déposé près de la main droite de Visine, la seule encore fonctionnelle ; l'autre faisait la grève, refusait désormais d'obéir au cerveau. Elle reposait mollement sur le drap comme une marionnette sans vie, sans main. L'étui n'était pas d'un bleu ordinaire, genre pantalon de golf, mais d'un bleu envoûtant, limite psychédélique.

Visine a farfouillé dedans sans même regarder pour en sortir une lame en métal aux bords arrondis et au manche sculpté, tout noirci, comme le sont toujours les trucs très vieux. Elle l'a approchée de ses yeux pour y jeter un coup d'œil avant de me la tendre en souriant, comme si elle me donnait 100 000 dollars.

— Tiens, prends ça, mon coco. Je pourrai pas aller lui remettre astheure. Faudrait que tu y ailles pour moi…

La lourdeur de l'objet m'a étonné, j'ai failli l'échapper. Je crois que les métaux étaient plus denses dans l'ancien temps, plus lourds. Ça reste à vérifier.

— Garde-le dans ta poche.

— Dans ma poche ? Mais c'est quoi ?

Elle n'a pas eu le temps de me répondre, l'infirmière est arrivée avec son artillerie lourde pour faire les mille et une vérifications du jour qui ne changeraient rien à l'affaire, les médecins nous l'avaient déjà dit : il ne serait plus vraiment possible de réparer Visine au complet. Peut-être même pas un peu, en fait. Elle avait beau donner l'impression d'être éternelle, Visine était arrivée au bout de sa course et on allait devoir continuer la nôtre sans elle. « Sans elle », des mots qui nous zombifiaient, mon père et moi. Lili ne les comprenait pas encore, et pour cause : dans ses livres d'histoires, les princesses ne meurent pas ou si peu qu'elles ressuscitent et pètent le feu tout de suite après.

Le cerveau de Visine s'était peut-être un peu endommagé en tombant. Qu'est-ce que j'allais bien pouvoir faire d'une lime à ongles d'une demi-tonne ? À qui est-ce que je pourrais remettre un truc pareil ? Je l'ai fourré dans la poche intérieure de mon manteau, pour ne pas contrarier Visine. L'infirmière m'a raccompagné à la porte avec ses gros yeux ronds.

3

Thérèse, la petite mêlée

Le lendemain matin, même s'il faisait beau, le printemps sentait plus l'apocalypse que les lilas. Les malheurs ont parfois le dessus sur tout, même sur les meilleures odeurs. Le grand chêne planté devant notre immeuble s'était lancé dans une opération de bourgeonnement intense qui ne servirait à rien : il allait se faire tout un chargement de glands inutile, Visine n'en ferait pas des tartes, cette année. Ce serait seulement un buffet pour écureuils.

Comme souvent, je marchais au radar ce matin-là, sans penser à ce que je faisais. J'avais les mêmes clients depuis deux ans, je pouvais donc laisser mon corps, en automate bien dompté, faire le travail sans moi.

Je partais dans mes pensées et ne revenais sur terre qu'une fois le travail fini.

J'en étais au point le plus éloigné de ma tournée, à plus d'un kilomètre et demi de chez moi quand, sans y penser, j'ai plongé la main au fond de ma poche. J'ai tout de suite senti le métal froid de la lame. En une nanoseconde, peut-être moins, l'univers tout entier a basculé. Il n'y avait plus rien de la ville autour de moi, tout s'était subitement envolé : les maisons, les rues, les autos, les lampadaires, les panneaux de circulation, les déchets, les chats errants, tout. Pulvérisés en poudre de néant. J'étais au beau milieu d'une terre inexplorée, complètement sauvage. La civilisation s'était évaporée. À voir le fabuleux chaos dans lequel poussaient le foin, les fleurs et les arbres, on aurait pu croire que Samuel de Champlain et sa gang n'étaient pas encore passés par là. Dans un réflexe de survie, j'ai sorti mon cellulaire. Il était aussi actif qu'une roche. L'écran noir me renvoyait mon image, légèrement apeurée.

Au moment où je m'attendais à voir surgir un troupeau de dinosaures, une petite fille est apparue au loin en trottinant, comme si l'humanité existait toujours et que tout était normal. Si je suis d'ordinaire du genre à fuir les filles, ce matin-là j'ai couru à toutes jambes vers elle. J'aurais même été prêt à lui faire un compliment si on me l'avait demandé. Évidemment, je n'avais pas pensé qu'en arrivant à toute vitesse comme ça, c'était moi qui ressemblerais à une bête dangereuse. La petite s'est mise à hurler à pleins poumons, comme Lili quand on essaie de toucher à Crénini.

— Iiiiiiiiii...

— Non ! non ! non ! Arrête ! J'suis un humain, regarde. Je m'appelle Joe !

— Iiiiiiiiii...

— Wooooo ! Les nerfs ! Regarde, je suis juste un garçon, un humain.

J'ai tiré ma langue, mis mes yeux dans le même trou, fait un gros rot et tout un tas de niaiseries, jusqu'à ce que son envie de rire la ramène sur terre. Des grosses larmes traçaient des sillons brillants sur son mignon petit visage. À ses pieds, nus et sales au point d'être encroûtés, une pile de livres attachés par une ceinture de cuir traînait dans la poussière du chemin. Parce qu'à bien regarder, il y avait là en effet quelque chose qui ressemblait à un chemin. Tout allait bien, je n'étais pas revenu à l'ère glaciaire. Avec un peu de chance, on parlerait la même langue.

— Ah non, mes livres ! M'a me faire chicaner.

— Tu parles français ?

— Euh… oui.

— On est où, ici ?

— C'est le champ à Maheu.

— On est dans quel pays ?

— Vous êtes monsieur l'inspecteur ?

— Hein ? Mais non, je m'appelle Joe…

— Ouf ! J'ai eu peur.

— Mais sérieux, on est où ?

— Euh… je pense… euh… en Chine ?

— En Chine ? Je pense pas, tu parles français, t'as pas l'air d'une Chinoise pour deux cennes.

— Toi-même !

— Comment ça s'appelle, ici ?

— Le champ à Maheu.

— DANS QUELLE VILLE ?

— LE CANADA !

— OK, c'est pas une ville, mais ç'a déjà plus d'allure. Pis tu t'en allais où, avec tes livres ?

— Pis toi ?

— J'ai posé la question en premier.

— À l'école. Ton tour.

— Je passe les journaux.

— Ah.

— Où ça, l'école ?

— Là-bas.

Elle s'est mise sur le bout des pieds et sa petite main nerveuse pointait le champ, direction n'importe où.

— Mais non, y a pas d'école par là, c'est juste un champ.

— L'école est plus loin, plus plus plus loin, par là.

— Je vois rien. T'es sûre ?

Pour toute réponse, elle m'a fait des yeux de merlan frit et du grand remontage d'épaules pour bien me montrer que j'aurais dû comprendre. Je sentais qu'elle se retenait de me traiter d'imbécile.

— Bon, OK, j'ai pas le choix : je te suis.

Satisfaite, elle m'a montré toutes ses dents en même temps. J'ai ramassé et dépoussiéré ses livres avant de les lui tendre. S'il y avait une école « par là », il n'y avait assurément pas de dentiste dans le coin : ses dents étaient effroyablement sales. J'aurais beaucoup hésité à lui faire le bouche-à-bouche si elle s'était évanouie.

— T'as même pas de souliers !

— J'ai les ai laissés chez nous.

— Chez vous ? C'est où, chez vous ?

— Par là-bas.

— OK, laisse faire. Mais comment t'as fait pour oublier de mettre tes souliers ?

— J'ai pas oublié, y faut pas les mettre !

— Pourquoi ?

— Parce qu'y faut pas les zuser !

— Mais ça sert à marcher des souliers !

— Nooon !

— Non ? Ça sert à quoi, d'abord ?

— Pour la messe.

— La messe ?

— Si on n'a pas de souliers, on peut pas aller à la messe, pis si on peut pas aller à la messe, on va en enfer, pis en enfer y a des flammes pis du feu partout, pis ça brûle…

— Pis l'hiver ?

— Y fait froid, l'hiver.

— Je sais, mais tu y vas quand même pas pieds nus ?

— J'vas pas à l'école.

— Non ? Comment ça ?

— Parce qu'y a pus de chemin.

Comme je sentais qu'il serait encore question de l'enfer si j'insistais, j'ai préféré changer de sujet.

— Comment tu t'appelles ?

— Manche de pelle.

— Ça te va bien.

— Ben non, je m'appelle Thérèse.

— Pour vrai ? Thérèse ? T'as quel âge ?

— Euh… six ou sept.

— Six ou sept ?

— Je m'en rappelle pus.

— On est en quelle année ?

— Je sais pas.

De fil en aiguille, pendant les 20 minutes qu'il a encore fallu marcher avant de voir apparaître ce qu'elle appelait « l'école », j'ai fini par apprendre qu'elle vivait dans une ferme – comme tout le monde, selon elle – avec ses sept frères et sœurs, ses parents, sa grand-mère, ses cinq ou six chats et plein d'autres « zanimaux qui pusent ».

— T'es la seule qui va à l'école ?

— Mes sœurs sont trop petites, Jean est trop maigre, Paul est trop niaiseux – mais c'est pas de sa faute, faut pas en parler, sinon on peut aller en enfer –, les autres viennent, des fois, quand y a pas trop d'ouvrage.

— Pis là, y a trop d'ouvrage ?

Encore des yeux de merlan frit.

— C'est l'automne !

— Ah ! ben oui...

Ça se voyait de partout, en effet. Le printemps qui fleurissait le quartier dix minutes plus tôt avait levé les pattes d'un coup. Je ne comprenais plus rien.

Ce n'était pas vraiment une école, mais une petite maison ordinaire, même plus qu'ordinaire, un petit cube en bois juché sur le rebondi d'une colline décharnée par le vent. Il y avait de jolies fenêtres tout le tour, une cheminée, un tambour. Nous étions de toute évidence en retard puisqu'une femme est venue nous accueillir dehors, poings fermés sur les hanches, sourcils ramassés en un tas de poils entre les deux yeux. Manifestement, elle était choquée noir.

— Thérèse Beaudoin! Vous êtes encore en retard! La révision du catéchisme est commencée depuis longtemps déjà!

C'était complètement surréaliste : l'enseignante était sortie de l'école pour engueuler son élève, qu'elle vouvoyait, même si la petite n'avait que six ou sept ans, et lui parlait d'une matière – le catéchisme ? – que je n'avais encore jamais étudiée. Comble de la bizarrerie, l'enseignante avait plus l'allure d'une adolescente déguisée en professeure que d'une vraie prof. J'ai pensé qu'ils fêtaient peut-être l'Halloween.

— Et vous, qui êtes-vous ?

— Euh... personne, je veux juste retourner chez nous, je comprends pas vraiment ce que je fais ici...

— Monsieur Personne, j'ai toute une classe à tenir et à préparer pour la venue de l'inspecteur à la fin de la semaine, je n'ai pas le temps d'écouter vos histoires. Vous entrez ou vous passez votre chemin, c'est à vous de voir. Mademoiselle Beaudoin, dépêchez-vous d'aller rejoindre votre banc et d'ouvrir votre catéchisme. Je vois que vous êtes encore pieds nus.

— J'ai oublié mes souillers…

Elle m'a fait un clin d'œil, la petite menteuse.

— Rentrez !

Le bas de sa très longue jupe a fait lever un petit nuage de poussière quand elle a tourné les talons. Si c'était un rôle, elle le jouait très bien.

J'ai jeté un coup d'œil autour de moi pour m'apercevoir qu'à l'exception de quelques maisons disséminées au loin sur des étendues de terre coupées au couteau, il n'y avait rien. Une belle campagne de carte postale, sans l'ombre d'une ligne électrique. Assurément sans wifi. Je ne voyais vraiment pas où aller. Alors j'ai suivi la prof-fille et la petite mêlée dans le cube-école.

4

Monsieur Personne

À l'intérieur de ce qui ressemblait bien plus à une cabane à sucre qu'à une école, sur trois rangées de pupitres doubles en bois massif, des élèves de toutes les tailles lisaient en silence un livre qui semblait passionnant. C'était la première fois que je voyais une classe mixte maternelle-primaire-secondaire. Juste pour les maths, ça devait être une joyeuse pagaille, avec des petits qui apprennent à compter et des grands en train de se faire les dents sur des problèmes d'algèbre.

Devant, à côté du grand tableau noir, une carte du monde défraîchie et une vieille horloge occupaient ce qui restait d'espace.

Le bureau de l'enseignante était perché sur un genre de scène, probablement pour lui permettre de mieux se faire voir. Thérèse est allée rejoindre sa place à pas de souris, à l'avant de la classe, à côté d'une autre petite fille dont la tête dodelinait de fatigue. Les plus vieux, installés derrière, m'ont regardé furtivement du coin de l'œil, presque sans bouger. Ils portaient tous une salopette. Chez nous, les seuls hommes à porter la salopette sont les pompiers et les pêcheurs.

— Excusez-moi, madame, où est-ce que je peux m'asseoir ?

— Mademoiselle. Je suis mademoiselle Lafrenière.

— Ah. S'cusez-moi, mademoiselle Lafrenière.

— Et c'est moi qui pose les questions, ici, sauf si je vous en donne l'autorisation. Je ne saurais tolérer qu'on vienne troubler la paix et l'ordre qui règnent dans cette classe par des fanfaronnades, monsieur Personne !

— Pfff !

— Monsieur Croteau ! Le mot "fanfaronnade" vous fait rire ? Comme hier le mot "crottin" et avant-hier le mot "pétarade" ?

— Pffffffff !

Le pauvre gars qui s'appelait Croteau faisait tant d'efforts pour ne pas éclater de rire que les veines de son cou étaient grosses comme des réglisses.

— Venez ici, monsieur Croteau, nous allons tout de suite tenter de dompter cette fâcheuse manie.

Le grand gaillard n'a même pas protesté. Il a suivi le doigt de l'enseignante qui lui indiquait où se mettre à genoux, en face du tableau, le corps bien droit. Il n'a rien ajouté non plus quand elle lui a enfoncé sur la tête un ridicule chapeau pointu en papier. Au lieu de rire, les autres élèves ont repris leur lecture comme des moutons obéissants. Première fois de ma vie que je voyais ça. Elle en imposait, la prof, vraiment.

— Puisque vous êtes déjà debout, nous allons continuer la révision du catéchisme avec vous, monsieur Personne.

— Je m'appelle pas Personne…

— Je ne vous ai pas autorisé à parler !

— C'est vrai, s'cuse. S'cusez.

— Problèmes de mémoire, sans doute…

— Non, c'est juste que…

— TAISEZ-VOUS ! Vous serez autorisé à parler quand je vous aurai posé une question !

Comme elle se mettait dans tous ses états et que son chignon menaçait de se défaire à chaque nouvelle secousse de sa tête, j'ai décidé de me taire. Elle brandissait à bout de bras, comme une baguette magique, une grosse règle en bois avec laquelle je devinais qu'elle n'envisageait pas de mesurer quoi que ce soit, sinon mon effronterie. À croire les histoires que Visine m'avait déjà contées sur l'école de son temps, je faisais mieux de me faire oublier, sinon j'aurais mal aux doigts.

— Alors, monsieur Je-ne-m'appelle-pas-Personne, nous allons commencer par voir où vous en êtes dans votre étude du caté-chisme.

— J'en ai jamais fait, y a pas de ça à mon école...

— (Sourcils pointus, sévères.)

— Non, laissez faire, pardon, j'ai rien dit, désolé madame. MADEMOISELLE... mademoiselle, je veux dire...

Elle a respiré profondément sans perdre son calme. On entendait, au silence qui bourdonnait autour de nous, que les autres avaient développé un talent pour l'absence.

— Alors, jeune homme, nous vous écoutons : qui est Dieu ?

J'ai baissé la tête pour ne pas me mettre dans le trouble. Je voulais donner l'impression de réfléchir. Si mon téléphone avait fonctionné, j'aurais pu le demander à Siri[1]. De quel dieu parlait-elle, pour commencer ? Toutes les religions en ont un, au minimum, quand ce n'est pas des milliers, comme en Inde. J'ai même pensé à Crénini (« Dieu est un petit pingouin en peluche plein de morve séchée, mademoiselle ! »).

— Répondez, monsieur Personne.

— Euh… de quel dieu parlez-vous exactement ?

— Vous ne savez pas qui est Dieu ?

— Non, désolé, vraiment, j'suis un peu mêlé…

— Mademoiselle Langevin ?

---

1. Siri : c'est le nom de l'assistante vocale des téléphones cellulaires et tablettes tactiles d'Apple. Les gens lui posent toutes sortes de questions sans réponse pour s'amuser, du genre : « Siri, qui est le plus beau ? »

— Oui, mademoiselle.

Une fillette s'est redressée sur sa chaise, toute raide, comme si sa colonne s'était transformée en manche à balai.

— Pourriez-vous éclairer cette brebis égarée, mademoiselle Langevin ?

— Oui, mademoiselle.

La mamzelle Langevin s'est levée, a joint ses petites mains blanches avant de prendre un air hautain pas de son âge. Elle n'aurait pas été plus sérieuse si on lui avait demandé de faire un discours devant l'ONU[2]. Elle n'avait pas encore dit un mot que l'enseignante trépignait de contentement.

— Dieu est un esprit infiniment parfait, mademoiselle.

— Et peut-il y avoir plusieurs dieux ou plusieurs esprits infiniment parfaits, mademoiselle Langevin ?

— Non, il ne peut y en avoir qu'un seul.

---

2. ONU : Organisation des Nations Unies. C'est une organisation qui réunit les chefs d'à peu près tous les pays qui essaient de préserver la paix internationale, rien de moins. Ils ont du pain sur la planche comme c'est pas possible, ces gens-là.

— Où est Dieu ?

— Dieu est partout : il remplit le ciel et la terre.

L'enseignante était radieuse, auréolée de bonheur, comme si toutes ces belles choses étaient de son invention et parlaient d'elle. Les réponses de la bergère étaient récitées comme une fable apprise par cœur. Sa voix sonnait comme celle d'un répondeur automatisé.

— Monsieur Personne, je vous offre une deuxième chance.

— Euh... non... pas nécessai...

— (Gros yeux méchants.)

— OK, *go*, j'suis prêt.

— Qui est la mère de Jésus ?

— La mère de Jésus ?

Je ne connaissais même pas le gars, encore moins sa mère, mais j'ai joué de prudence pour que tout le monde reste calme, même le chignon de la prof.

— Un esprit *full* infiniment parfait.

— Comment ?

— Euh... un esprit "très" infiniment parfait.

— Non, monsieur Personne, non. Marie n'est pas un "esprit très infiniment parfait". Tout d'abord, Marie est une femme.

Ma mère s'appelait Marie et elle était *full* infiniment parfaite. Je ne voyais pas le rapport avec les femmes. Je me suis autorisé une petite question.

— Les femmes peuvent pas être des esprits infi...

— MAIS NON !

— Pourquoi ?

— TAISEZ-VOUS ! TAISEZ-VOUS ! VOUS ÊTES D'UNE IMPERTINENCE DIABOLIQUE !

Les élèves ont retenu leur souffle. Heureusement qu'elle était jeune, autrement j'aurai eu peur qu'elle fasse une crise cardiaque ou quelque chose de grave.

— Vous allez immédiatement sortir de la classe et partir en corvée d'eau pour que nous puissions finir l'étude du catéchisme sans que le Malin plane sur nous.

Au mot « Malin », les petits à l'avant de la classe ont poussé des « hiii ! » de terreur et les autres se sont touché rapidement le front et les épaules comme le font les joueurs de soccer quand ils comptent un but. À voir l'effet saisissant de son nom, le Malin devait être une forme d'aspirateur d'âmes, un peu comme les Détraqueurs dans *Harry Potter*. De son côté, l'enseignante avait retrouvé son calme et réintégré son rôle de figure autoritaire.

— Profitez de ce moment pour vous recueillir, monsieur Personne, en souhaitant que votre âme puisse encore être sauvée.

— OK, désolé, je voulais pas vous déranger.

— C'est bon, allez.

J'ai levé le bras pour obtenir le droit de poser une question en toute légalité – en souhaitant que ce soit la façon de faire ici.

— Oui, monsieur Personne ?

— Est-ce qu'il y a un téléphone quelque part ? À moins que quelqu'un ait un cellulaire, le mien marche pas…

On s'est mis à me regarder comme si j'étais un extraterrestre, alors j'ai empoigné le bac d'eau que l'enseignante pointait du doigt et je suis sorti. Dehors, j'allais peut-être trouver des gens moins occupés pour répondre à mes questions « compliquées ».

— Faut que je mette de l'eau dedans, c'est ça ? Sont où, les toilettes ?

— Guillaume Couture, accompagnez cette âme perdue jusqu'au puits, s'il vous plaît.

— Oui, mademoiselle.

L'espèce de grand échalas[3] qui portait ce nom s'est empressé de se lever et de me pousser gentiment à l'extérieur. Valait assurément mieux pour moi d'être là que dans cette classe.

---

3. Au Québec, on dit souvent « grande échalote » pour parler d'une personne grande et mince, alors que c'est une déformation de l'expression « grand échalas ». Un « échalas » est une sorte de tuteur qu'on utilise pour soutenir des tiges de plantes trop faibles (d'où la forme mince et allongée), tandis qu'une échalote est un petit oignon de forme plutôt ovale, elle est très différente de l'oignon vert avec lequel on la confond.

5

Les espadrilles

— T'es vraiment bizarre! D'où tu viens?

— C'est vous autres, les bizarres! On est en quelle année, coudonc?

— En 1937, me semble.

— Comment ça, me semble?

— Parce que me semble qu'on est en 1937.

— MAIS QU'EST-CE QUE JE FERAIS EN 1937?

— Je sais pas, moi...

— Moi non plus... je comprends pas...

J'ai regardé autour de moi les champs à perte de vue, écouté le silence absolu (pas de sirènes, pas de moteurs, pas de gens qui gueulent nulle part) et j'ai compris que c'était bien moi, le bizarre. Qu'est-ce que je foutais là ? Quelque chose m'avait échappé.

— Mais comment tu peux pas savoir en quelle année on est ?

— Qu'est-ce que ça change, l'année ?

— Tout !

— Comme quoi ?

— Tu peux connaître ton âge, genre.

— Qu'est-ce que ça change, de savoir son âge ?

— Ça change que t'as le droit de conduire à 16 ans, par exemple, mais pour ça y faut que tu saches quand t'arrives à 16 ans.

— J'ai toujours conduit.

— T'as toujours conduit ?

— Ben oui.

— Quel modèle ?

— C'est une vieille charrette...

— Une charrette ! Ça compte pas ! Ça se conduit même pas, ça se traîne ou ça se pousse, mais ça se conduit pas...

— Faut bien conduire les chevaux.

— Les chevaux ?

— Tu traînes quand même pas une charrette à bout de bras ?

Oups. On ne parlait probablement pas du même type de charrette. Tant pis, ça ne me coûtait rien d'en profiter pour me péter les bretelles.

— Ben oui.

— Sans chevaux ?

— La plupart du temps, oui.

— T'es fort comme Louis Cyr ?

— Louis Cyr ? Tu connais Louis Cyr ?

— Tout le monde connaît Louis Cyr !

— Tu l'as déjà vu ?

— Mais non, y est mort.

— Ah. En quelle année ?

— Je sais pas.

— Mais j'suis un peu moins fort que lui quand même.

Fallait pas exagérer, je n'avais pas l'ombre de la force de ce géant. Des plans pour que le gars me demande de lever une pierre de deux tonnes.

— Est-ce que je pourrais essayer tes *rubbers* ?

— Mes quoi ?

— Tes *rubbers*, je peux-tu les essayer, s'il vous plaît ?

Il pointait mes pieds et les vieilles espadrilles que je portais pendant mes tournées
matinales. Décidément, j'avais atterri dans
un endroit peuplé de gens étranges : on me
servait du « s'il vous plaît » avant de me
piquer mes espadrilles.

— Mais j'en ai vraiment besoin, *man*…

— Je m'appelle Guillaume.

— Je le sais. Regarde, Guillaume, je peux
pas te les donner ou te les passer…

— Juste un 'tit peu, un 'tit tour, dis oui !

— Tu vas me les redonner ?

— Oui, je veux juste les essayer, un 'tit
peu.

— Bon… OK. Mais sont pas mal maganées, la semelle décolle un peu sur le talon
gauche.

Il a enfilé mes espadrilles sans bas,
la peau en contact direct avec la semelle
humide. Mon père dit que rien qu'à l'odeur,
on devine que j'ai les pieds pleins de champignons. Même si le gars me dépassait
d'une bonne tête et semblait avoir au minimum 14 ou 15 ans – comme Thérèse, il
ne connaissait sans doute même pas son
âge –, il n'arrivait pas à faire ses boucles

tout seul. Ses grandes mains d'homme aux ongles noircis semblaient incapables d'accomplir un travail aussi délicat ; elles pouvaient probablement tordre du métal, déraciner des arbres, mais pas nouer deux petits bouts de tissu. J'aurais parié ma paie qu'il pouvait tirer une vraie charrette par la seule force de ses bras.

— Attends, je vais le faire.

— J'y arrive jamais.

— C'est normal, c'est des lacets de pro ceux-là, sont vraiment super difficiles à attacher.

Je ne voulais surtout pas le blesser dans son orgueil, même si c'était vraiment bizarre d'aider un gars de la taille de mon père à attacher ses souliers.

— Y est où, le puits ?

— Là.

Décidément, tout était « là » avec eux. Il fallait suivre le bout de leur doigt pour se repérer dans l'espace.

À la seconde où j'ai fini, il s'est élancé comme un sprinter olympique dans le champ avoisinant. Mon « Tes orteils touchent-tu au bout ? » est allé se perdre dans la poussière qui se soulevait sur son passage. Les talons aux fesses, moulinant l'air de ses poings fermés, il s'est mis à courir dans tous les sens, passant et repassant au loin sans se fatiguer. Si ce gars-là avait fait partie du club d'athlétisme de l'école, on aurait pu en faire baver à tout le monde, même à l'Académie Saint-Étienne-des-Snobs où les gars ont tendance à se prendre pour le nombril du monde.

Quand il a fini par s'arrêter, après une petite balade de quelques kilomètres, il avait un teint couleur tomate, des yeux injectés de sang et un sourire un peu niais. Il vivait là un grand moment, à n'en pas douter, et je l'aurais anéanti en lui demandant de me rendre tout de suite mes espadrilles.

— Je te les laisse encore un peu, le temps qu'on aille chercher de l'eau pis que tu m'expliques comment aller en ville.

— Pour vrai ? Je peux encore ?

Il s'est remis à courir de plus belle, fendant le foin comme un bandit en cavale. Il n'avait retenu de ma phrase que le bout qui l'intéressait.

— ATTENDS ! C'EST PAR OÙ, LA VILLE ?

On n'allait jamais pouvoir remplir le bac à ce rythme-là. J'ai décidé de ne pas l'attendre pour me rendre au puits, histoire de prendre un peu d'avance, mais c'était sans compter que moi, contrairement à lui, je ne pouvais absolument pas marcher sur un sol non asphalté. Le puits n'était pas bien loin, mais ça me semblait le bout du monde. Après avoir enlevé mes bas, déjà boueux et piqués de cailloux, j'ai compris que mes dessous de pieds, en peau de fesse, ne me permettraient d'aller ni bien vite ni bien loin. La moindre branche, la plus petite roche, même les herbes séchées me faisaient souffrir comme si elles étaient en verre. Ce qui semblait être une piste de course idéale pour l'autre qui se prenait pour Usain Bolt[1] dans la campagne verdoyante était pour moi

---

1. Usain Bolt est un athlète jamaïcain reconnu comme le plus grand sprinter de tous les temps. Il a notamment gagné huit médailles d'or olympiques et des tas de championnats mondiaux. On aurait besoin d'une pelle mécanique pour soulever d'un coup toutes ses médailles.

un véritable tapis de fakir[2]. En soulevant l'espèce de gros bac, je m'enfonçais encore plus à cause de son poids qui s'ajoutait au mien. De la peau de fesse de bébé très mince, je vous dis.

Alors j'ai attendu, assis sur le grand seau renversé. J'ai respiré un bon coup pour donner l'impression que je ne faisais que profiter de la vie et du décor bucolique, au cas où l'on m'aurait espionné par les fenêtres de l'école. J'avais tout mon temps pour réfléchir au fait que l'être humain est une bête physiquement démunie, totalement inadaptée à la nature sauvage (pas de coussinets sous les pieds, pas de pelage, pas de griffes, pas de vision de nuit, un odorat et une ouïe complètement nuls, etc.). L'intelligence ne remplace pas tout. La preuve : mon cellulaire, aussi pétant

---

2. L'un des fameux tours que font les fakirs consiste à se coucher sur une planche à clous, comme si c'était un tapis. C'est moins difficile qu'il n'y paraît : on met beaucoup de clous pour que le poids de la personne soit réparti entre eux, ce qui fait que la pression exercée sur chaque clou n'est pas suffisante pour que sa pointe entaille la peau. Donc plus il y a de clous, plus c'est facile !

de santé qu'un caillou, ne m'était d'aucun secours à ce moment-là.

Les autres élèves ont fini par sortir de l'école. C'était apparemment déjà l'heure du dîner. Certains avaient à la main un sac en papier duquel ils tiraient des tranches de pain graisseuses. Ceux qui n'avaient rien à manger se tenaient près des chanceux pour quêter des bouts de nourriture qu'ils gagnaient à l'usure. Ils s'assoyaient où ils pouvaient. Certains restaient debout. J'ai eu beau regarder bien attentivement, je n'ai pas vu l'ombre d'un légume nulle part. Cet univers m'a soudainement paru beaucoup moins hostile.

Le jeune Croteau avait survécu à sa punition et riait comme les autres. Il ne restait plus aucune trace de son humiliation de tout à l'heure. À sa place, je me serais terré dans un coin ou j'aurais rampé comme une larve. Pour lui, tout semblait fini. Je l'ai presque envié.

La petite Thérèse s'est approchée de moi en me tendant un bout de pain sec. Elle me faisait penser à Lili quand elle fait des mauvais coups.

— Non merci, j'ai pas faim.

— Mets-le dans ta poche pour tantôt, d'abord.

Puisque je commençais à désespérer de me sortir de là, j'ai pensé qu'il serait plus prudent d'accepter son cadeau.

— OK. Merci.

— Faut que tu croques fort, y est chèsse.

— *Oh boy !* C'est vrai ! T'es sûre que c'est pas une roche ?

— Gnaizeux, c'est du pain.

Quand l'enseignante est sortie à son tour, elle s'est tout de suite dirigée vers moi, toujours assis sur le bac à eau renversé. Je ne me serais pas senti plus vulnérable si j'avais été tout nu. Une petite fille s'est jetée sur elle en pleurnichant. En imaginant la morve qu'elle devait y laisser, j'ai eu pitié pour la mademoiselle et sa jupe.

— Doucement, qu'est-ce qui se passe ici ?

— J'ai faim !

La prof s'est alors penchée pour soulever la petite chose et lui murmurer quelques mots à l'oreille qui l'ont tout de suite calmée. Comme un chat apeuré, la micro-élève s'est blottie dans son cou. Étonnamment, la prof n'avait plus rien de la dictatrice qui sévissait dans la classe quelques instants plus tôt.

— Bonjour, monsieur Personne. Je suis heureuse de voir que vous n'êtes pas tombé dans le puits.

— Je me suis pas rendu, Guillaume court avec mes espadrilles, j'arrive pas à marcher sans souliers.

— Faut pas lui en vouloir, il se prend pour Alexis le Trotteur.

— Je le connais pas, lui non plus.

— Non ? Dommage.

En pivotant de 180 degrés, elle a encore fait lever la poussière. C'était vraiment une drôle d'idée que de porter une jupe aussi longue dans un endroit pareil.

— Venez, monsieur Personne, je vais servir la soupe. Laissez le seau où il est, les frères Grégoire se chargeront d'aller le remplir tout à l'heure.

Je l'ai suivie comme j'ai pu, en retenant mon souffle pour essayer d'être moins lourd. Je pensais même à des choses légères, comme de la barbe à papa, pour m'alléger l'esprit. Peine perdue, j'ai hurlé intérieurement comme une fille devant une araignée tout au long des quelques mètres qui me séparaient de l'école.

Sur l'espèce de poêle qui trônait au fond de la classe fumait un chaudron rempli d'un bouillon d'une couleur incertaine. Plusieurs élèves s'étaient massés près de la porte, silencieusement, dans un ordre complètement contraire au bon sens : des plus grands aux plus petits. Comme il n'y avait que deux bols pour tout le monde, on mangeait à tour de rôle : les deux premiers élèves buvaient-mangeaient ce que l'enseignante versait dedans et ils les refilaient ensuite aux suivants. Il n'y avait même pas de cuillère ! Une fois la soupe avalée, mademoiselle Lafrenière leur tendait à chacun un bout de pain arraché d'une grande miche difforme avant de les renvoyer dehors. La petite pleureuse s'était nichée à ses pieds pour grignoter consciencieusement son morceau de pain.

— Vous en voulez, monsieur Personne ?

— Euh... c'est quoi ?

— De la soupe.

— À quoi ?

Je me suis croisé les doigts : pas aux légumes, pas aux légumes...

— C'est un tout-ce-qui.

— Un quoi ?

— C'est délicieux.

— OK, mais juste si y en reste. J'étais pas supposé être là.

— Ça ira pour aujourd'hui, il y a quelques absents.

On m'a alors tendu le bol dont j'ai discrètement essuyé le bord sur mon pantalon. Ce n'était pas le moment d'insulter qui que ce soit en faisant le dédaigneux, je n'avais même pas de souliers pour m'enfuir.

La soupe n'avait rien de ragoûtant à première vue, mais j'étais affamé et personne ne s'était évanoui en la mangeant. Et comme promis, c'était délicieux. Le « tousseki » devait être un truc exotique (russe peut-être), je n'en avais encore jamais mangé. Il y avait des morceaux plus mous que d'autres dans le bouillon, mais d'un moelleux pas désagréable. « Du bon manger chaud, ça ragaillardit son homme », dit Visine. Elle a raison. Visine a toujours raison.

— Merci. C'est vraiment bon.

— C'est une bonne semaine, oui.

— Vous faites toujours à dîner pour tout le monde ?

— Non, pas toujours. Je fais avec ce que les parents peuvent me donner, selon la saison, les récoltes. Je reçois parfois même de la viande à l'occasion. Ça permet de tenir quand on arrive les mains vides le matin.

— Y a pas de cafétéria ?

Elle a fait un petit sourire en plissant les yeux et en inclinant la tête. On pouvait deviner quelles rides se formeraient plus tard. Elle serait encore plus belle. Chose certaine, il n'y avait pas plus de cafétéria que de wifi, ici.

— Non. Je n'ai d'ailleurs aucune idée de ce que ça peut être, une café…

— … téria. C'est une place où on sert de la nourriture, des plats du jour, des sandwichs, des affaires de même. Ça fait changement des lunchs, de temps en temps. Avant, y avait des hamburgers, de la pizza, des frites, mais là y ont plus le droit de vendre de la malbouffe dans les écoles, à cause de l'obésité pis des autres problèmes de même.

Elle me regardait comme si je lui avais parlé en mandarin.

— Vous venez d'un drôle de coin, monsieur Personne.

— Drôle, je sais pas, mais différent en tabarouette, ça c'est sûr. C'est un peu compliqué à expliquer.

— Vous me raconterez tout ça plus tard, la classe va reprendre dans quelques minutes.

— Une dernière question ?

— Oui, allez-y.

— Pourquoi les grands mangent avant les petits ?

— Parce que les grands font le train avant de venir à l'école. On nourrit toujours d'abord les bras. Les petits mangent quand y en a assez pour tout le monde.

— Pis quand y en a pas assez ?

— On vit sur ses réserves, monsieur Personne. Jésus a traversé le désert pendant 40 jours sans manger.

— Mais les petits ont besoin de manger pour grandir, c'est écrit dans le *Guide alimentaire canadien*.

— Je ne connais pas ce que contient votre guide, mais je sais que la nourriture vient du travail des grands. Tout le monde est condamné s'ils se trouvent en faiblesse, les petits comme les grands.

J'avais l'étrange impression d'être dans un monde à l'envers où les règles n'étaient pas celles de mon temps. En plein naufrage, ces gens-là devaient crier: «Les hommes d'abord! Les femmes et les enfants après, si y reste des canots!» J'imaginais ma Lili, toute menue, toute mini, si fragile, affamée, en train de regarder le grand bol de soupe se vider sans pouvoir y toucher. J'ai eu la gorge nouée. Et l'envie soudaine de rentrer chez nous.

6

La lime à ongles

Les choses ont été tout aussi surréalistes durant l'après-midi. Je n'ai d'abord pas pu récupérer mes espadrilles, Guillaume le trotteur avait poursuivi sa course dans les champs au-delà de la ligne d'horizon. On m'a dit de ne pas m'inquiéter, qu'il reviendrait un jour ou l'autre, qu'il ne voulait pas mal faire. Personne n'a appelé ses parents ou la police, tout le monde restait calme ; il était parti, il reviendrait. Point. Ce gars-là avait une énergie nucléaire qui aurait fait baver d'envie bon nombre d'entraîneurs olympiques. On se serait empressé de lui faire passer un test antidopage. Mais ils ne découvriraient là que des traces de tousseki et de pain dur. C'était peut-être le secret de sa force, qui sait ?

On m'a ensuite prêté un stylo-plume que je devais tremper dans un encrier pour écrire. Avec un stylo super high-tech muni d'une pointe ultra-performante « sans bavure », j'écris vraiment très mal, alors imaginez le gâchis avec une pointe inégale sur laquelle l'encre coule librement. Le plus difficile, c'est de coordonner la vitesse de l'écriture et l'écoulement de l'encre sur du papier râpeux (je me suis demandé si ce n'était pas du papyrus). J'en avais plein les doigts, la feuille, les cheveux, la figure. J'avais l'air du petit gars sur YouTube qui se fait chicaner par son père – qui est au fond crampé de rire – après s'être enduit le visage et le cou de gouache. Mais contrairement à lui, je n'essayais pas de me défendre en disant : « J'ai rien fait ! »

Comme s'il fallait en rajouter, la maîtresse – tout le monde l'appelait comme ça – nous a soumis à une séance de torture grammaticale. Voici la phrase inscrite sur le grand tableau noir que nous devions recopier et analyser :

La crainte du Seigneur est
le commencement de la sagesse.

Voici ce qu'on pouvait lire sur ma feuille :

Au moins, je me retrouvais en terrain connu : j'avais dévoré *Le Seigneur des Anneaux* d'un bout à l'autre. Les forces du bien et du mal, la sagesse et tout le reste n'avaient plus beaucoup de secrets pour moi. La maîtresse désignait des volontaires forcés pour analyser les éléments de la phrase.

— Monsieur Gingras, nature et fonction du mot "crainte".

Croyez-moi ou non, l'élève s'est levé d'un bond avant de donner sa réponse, comme un ressort soudainement libéré. Il a regardé droit devant lui, les bras collés au corps.

— "Crainte" est un nom, mademoiselle.

— Quel type de nom, monsieur Gingras ?

— Euh… un nom… impératif ?

Je ne sais pas ce qui m'a pris, j'ai levé le bras. La pitié, peut-être. La prof m'a donné la parole sans trop le vouloir, en tournant vers moi son petit menton pointu comme un accent circonflexe.

— C'est un nom commun, noyau du groupe du nom "La crainte du Seigneur", sujet du verbe.

Je sais maintenant comment se sentiront les extraterrestres quand ils vont débarquer ici. Un silence de plomb chargé de malaise s'est abattu sur moi comme une hache (j'exagère à peine). J'ai failli croire que j'avais dit n'importe quoi.

— Oui... nous... nous y reviendrons. Continuez, monsieur Gingras. De quel genre est ce nom ?

— Euh... le genre ?

— Masculin ou féminin ?

— Masculin ?

— Non.

— Féminin ?

— Forcément, monsieur Gingras, vous n'avez que deux choix. Et quelle est sa fonction ?

— Faire peur.

Les élèves ont étouffé leurs rires en s'enfouissant la tête dans le pli du coude. J'ai eu envie de faire pareil, ça m'a rassuré : on s'entendait au moins sur une chose, ce gars-là venait de dire une belle connerie.

Un peu plus tard, après avoir analysé des phrases invraisemblables qui parlaient de péché, de mensonge et de la toute-puissance de Dieu, la maîtresse a annoncé que nous allions faire un peu d'histoire pour clore la journée d'étude. Je n'ai jamais vraiment aimé l'histoire, il y a trop de dates et de noms compliqués à apprendre par cœur. Les élèves ont lâché des cris de joie, comme si la cloche venait de sonner. Intérieurement, j'ai supplié mon cellulaire de revenir à la vie pour pouvoir appeler des secours.

J'ai vite compris pourquoi les élèves semblaient si friands d'histoire : après avoir raconté les ravages du scorbut et la fuite des colons dans les bois pendant le premier hiver de Samuel de Champlain en Nouvelle-France, mademoiselle Lafrenière s'est mise à relater, en ne ménageant aucun détail, l'effroyable épopée du père Jean de Brébeuf, torturé, massacré, brûlé vif et mangé sur place par les Iroquois. C'était apparemment une coutume de manger le cœur des êtres courageux, on croyait qu'on pouvait ainsi devenir aussi braves qu'eux. Comme le père Brébeuf n'avait même pas chialé pendant sa mise à mort formidablement cruelle, les Iroquois avaient dévoré son cœur. À voir la réaction joyeuse des élèves qui tapaient des mains, ce n'était pas la première fois qu'ils entendaient ce récit. Leurs yeux brillaient de fierté, comme s'ils assistaient à la déconfiture des Bruins de Boston face aux Canadiens en finales.

— Mademoiselle, vous avez oublié le coup de hache dans la tête!

— Non, mademoiselle Vigneault, ça, c'était le père Goupil.

— Oh! Dommage! C'est mon histoire préférée…

Même la télévision de mon époque n'est pas aussi violente. Je me suis demandé si les jésuites n'en avaient pas un peu rajouté dans leurs récits pour épater la galerie. Quand la leçon a pris fin, j'étais sur le point de vomir. Défilaient devant mes yeux des doigts arrachés qui pendouillaient par les nerfs, des yeux crevés par des braises et des tripes sanguinolentes fumant dans l'air froid de l'hiver. Je comprenais mieux maintenant la crainte du Seigneur.

Quand la maîtresse nous a annoncé qu'il était temps de rentrer, j'étais encore à moitié sonné. Une fois le brouhaha du départ passé, il ne restait que la petite Thérèse qui me regardait avec bienveillance, ses livres sanglés à la main. Elle voulait que je l'accompagne. Ça m'arrangeait, je n'avais nulle part où aller.

Une fois dehors, je lui ai demandé :

— Penses-tu que Guillaume va revenir avec mes espadrilles ?

— Avec tes quoi ?

— Mes *rubbers*.

Elle a d'abord regardé mes pieds avec un petit sourire, puis les champs qui s'allongeaient à l'infini au-delà de la fenêtre, la main au-dessus des yeux pour mieux voir.

— Hum, pas aujourd'hui, y est parti trop loin.

— OK. Je vais au moins remettre mes bas.

— Je t'attends déhors !

En plongeant ma main dans la poche de ma veste pour récupérer mes bas, j'ai senti le métal froid de l'espèce de lime à ongles que m'avait donnée Visine. Je l'avais complètement oubliée! Elle n'avait plus rien de la vieille lime prise dans l'étui: elle brillait comme une neuve. Les détails sculptés qui étaient encore enfouis quelques heures plus tôt sous de nombreuses années d'oxydation venaient de réapparaître. Quand je l'ai placée dans le rayon de lumière qui entrait par la fenêtre pour mieux la voir, la prof a lâché un cri... et tout ce qu'elle tenait dans ses bras.

— Hiii! Doux Jésus, Marie, mon Dieu...

J'ai alors pensé que ce que j'avais pris pour une lime à ongles n'était peut-être rien de moins qu'une mini-épée magique, comme celle des récits du roi Arthur et de sa gang de chevaliers. Ce qui aurait expliqué bien des choses. Elle a tout laissé par terre pour venir à moi, les yeux rivés sur la lime.

— Où avez-vous trouvé cet objet, monsieur Personne?

— C'est Visine qui me l'a donné quand je suis allé la voir à l'hôpital, hier.

— Visine?

— Oui, c'est ma voisine. Elle m'a dit de le mettre dans ma poche... pour le rendre à je sais pas qui...

L'objet troublait vraiment la maîtresse, elle en tremblait. On voyait encore mieux que c'était une toute jeune fille. Je lui ai demandé :

— C'est votre épée?

— Oui, euh non, c'est un coupe-papier, mais oui, c'est à moi.

Je n'allais pas m'obstiner, mais je ne voyais pas comment on pouvait couper quoi que ce soit avec un truc pareil, à part un carré de beurre mou. Quand je lui ai tendu le machin, sa main s'est aussitôt refermée dessus.

— Un coupe-papier?

— Oui, c'est ma mère qui me l'a offert en cadeau, il y a longtemps. Je l'avais égaré, j'avais perdu espoir de le retrouver...

Elle avait les yeux pleins de larmes et serrait très fort l'objet. Je la sentais fragile, prête à craquer. Fallait que je fasse diversion. Je n'aurais pas su quoi faire si elle s'était mise à pleurer.

— Ça sert à quoi, un coupe-papier ?

Ma question est venue toucher l'une de ses cordes sensibles : elle s'est tout de suite ressaisie pour redevenir une prof. Elle était peut-être jeune, cette fille-là, mais c'était une vraie pro.

— Suivez-moi, je vais vous montrer comment on utilise un coupe-papier.

Elle s'est dirigée vers le bureau où elle a attrapé une lettre qui attendait, semble-t-il, le secours d'un tel objet. Elle a glissé le bout de la lame dans l'un des coins de l'enveloppe avant de la fendre, proprement, sur toute la longueur. Comme son nom l'annonçait, le coupe-papier a coupé le papier. Elle m'a présenté l'enveloppe pour que je puisse admirer la perfection de la coupe. Ce qui m'impressionnait le plus, c'était qu'on ait inventé un outil juste pour ça. On pouvait ouvrir une lettre avec tant d'autres objets existants, une clé, un crayon, une bobépine[1], même un doigt. Comme

---

1. Bobépine : pince à cheveux inventée dans les années 1920 pour tenir les mèches des coupes au carré, appelées *bobbed hairstyles*, d'où le bobby pin qui est devenu bobépine au Québec.

les gens de mon époque n'écrivent plus de lettre sur du papier depuis une éternité, il doit y avoir des cimetières de coupe-papier quelque part. À moins qu'on ne les ait recyclés pour en faire autre chose, des tuteurs à plantes, par exemple. Utile ou non, l'objet était très précieux pour elle.

— Votre mère aussi était prof?

— Oui, jusqu'à son mariage.

— Ah. Elle aimait pas ça?

— Oh, oui! Elle adorait enseigner aux enfants! C'était d'ailleurs une merveilleuse enseignante...

— Pourquoi elle a pas continué, d'abord?

— Parce qu'elle s'est mariée.

— C'est quoi le rapport?

— On ne peut pas être à la fois mariée et institutrice.

— Pourquoi pas?

— La femme se retrouve avec toute une maison à charge quand elle se marie, elle doit faire les repas, le ménage, le reprisage, éduquer, soigner les enfants...

— Euh... les hommes aussi font ça.

— Non, les hommes travaillent, ils ont bien assez de soucis comme ça.

— Mais les femmes aussi travaillent.

— Oui, certaines, jusqu'à leur mariage…

— La mère de mon ami Félix est ingénieure, pis celle de Raph est directrice à notre école…

— Mais non, les femmes ne peuvent pas être directrices, voyons!

— Ben oui, pilote d'avion aussi, médecin, première ministre…

— Pfff! Les femmes ne peuvent même pas voter!

— Ben oui, tout le monde peut voter.

— Mais non! Vous dites n'importe quoi!

— Ben moi, où je reste, tout le monde peut, faut juste avoir 18 ans.

Ses yeux m'ont dévisagé longuement avant de plonger par la fenêtre, à l'assaut des champs qui s'étendaient derrière, vastes et bien domptés. Elle est devenue pensive, donnant l'impression d'être partie très loin dans sa tête. La moitié inférieure de sa bouche s'est détachée du reste et pendait mollement. Elle a ramené ses mains croisées sur son ventre, comme pour empêcher que quelque chose ne s'en échappe. Prisonnier de son poing fermé, le coupe-papier pointait vers le ciel, comme un minuscule paratonnerre. Je ne pouvais malheureusement pas rester.

— Je m'excuse, mais je vais devoir y aller, ma petite sœur m'attend chez nous, elle doit être super inquiète.

— Oui, bien sûr... votre mère n'est pas auprès d'elle ?

— Non.

— Elle est première ministre ?

— Non... ma mère est morte.

— Mon Dieu, je suis désolée. Pardonnez-moi, je suis maladroite.

— C'est correct, faites-vous-en pas, ça fait longtemps.

C'est une phrase que j'avais pris l'habitude de dire pour rassurer les gens quand le sujet tombait sur ma mère. Avec le mot « longtemps », les gens se décomposaient un peu moins en apprenant qu'elle était morte aussi jeune. Ça m'évitait d'avoir à les consoler. Je leur laissais croire que le temps avait bien fait les choses, que tout était sous contrôle. Je n'avais pas moins mal, mais c'était de mes affaires, j'avais appris à vivre avec cette douleur que je répugnais à exhiber.

— Bon, ben, j'y vais. Thérèse m'attend dehors, en plus.

— Et c'est de quel côté, chez vous ?

— Aucune idée. C'est ça l'affaire, faut que je commence par retrouver mon chemin.

— Dommage…

Elle ne l'a pas dit, mais j'ai entendu « Je vous aurais suivi, monsieur Personne » dans le bout laissé en suspens. Ça se devinait qu'elle avait des envies d'être ailleurs, dans une autre époque, par exemple. Je pouvais comprendre : la campagne sans wifi, ça devait être mortel.

— Je peux vous poser une question bizarre ?

— Essayez toujours, on verra pour la réponse.

— On est en quelle année ?

— En quelle année ?

— Oui, j'ai l'impression d'être un peu, comment je dirais ça… décalé.

— Oui, je vois… 1937.

— SÉRIEUX ? Je pensais que l'autre me niaisait tantôt ! OK ! Là, je comprends... 1937 ? C'est malade...

Son sourire s'est tout à coup voilé de tristesse.

— Je peux, à mon tour, vous poser une question bizarre, monsieur Personne ?

— Oui, vas-y. S'cusez, allez-y.

— Est-ce que ça va être encore long avant... avant les femmes premières ministres ?

Elle avait tout compris, elle aussi : nous n'appartenions pas à la même époque. Pas étonnant, ça se voyait tout de suite qu'elle était hyperactive du cerveau, cette fille-là. Mais comment lui dire que je venais de faire un bond de 80 ans sans la décevoir ? Comment lui dire qu'elle allait devoir patienter jusqu'à l'autre millénaire pour en voir une, première ministre ? « Millénaire », le mot à lui seul me donnait le vertige. J'ai opté pour un demi-mensonge.

— Pas tant que ça.

— Ah ! Tant mieux, tant mieux...

C'est vrai, le temps est relatif, Einstein l'a dit. On parlait de seulement quelques dizaines d'années. Sur une histoire qui dure depuis des milliards d'années, ça n'était pas grand-chose. En plus, quand on est occupé, le temps passe vite. Et elle n'avait pas l'air du genre à s'ennuyer. Déjà, enseigner à un troupeau d'élèves de cinq à quinze ans, ça ne devait pas être de la tarte.

J'ai baissé les yeux pour ne pas affronter son regard, au cas où elle aurait insisté pour savoir ce que je voulais dire par « pas tant que ça ». C'est à ce moment-là que mon univers s'est remis sur ses rails : mes pieds reposaient à nouveau sur une rue asphaltée, dans l'obscurité mourante de la nuit qui pâlissait à vue d'œil. J'étais de retour en ville, avec ma poche qui ne contenait plus qu'un seul journal. J'avais réintégré le 21e siècle avant d'avoir pu récupérer mes espadrilles. Si on m'avait dit que je me ferais un jour taxer par un gars né dans les années 1920 (s'il avait à peu près mon âge, il était forcément né dans ces années-là), je ne l'aurais jamais cru. Malgré tout, ça me faisait moins suer de m'être fait avoir par un gars pieds nus qui avait vraiment envie de courir que par une brute comme Big qui volait pour le seul plaisir de terroriser.

En marchant avec précaution, j'ai pu livrer mon dernier journal et rentrer à la maison en ne quittant pas le sol des yeux pour éviter les surprises du genre éclats de verre, clous, mégots de cigarettes et autres. C'était beaucoup plus facile de marcher sur de l'asphalte ou du béton que sur des chemins cailouteux parsemés de petites branches pointues. J'ai pu me rendre à la maison juste avant que le tissu ne perce. J'ai balancé mes bas dans la poubelle de l'entrée de l'immeuble.

7

Frites et légumes

Heureusement, ni Lili ni mon père n'ont remarqué que je n'étais pas chaussé. Impossible de leur raconter ce que je venais de vivre. J'ai foncé dans ma chambre où j'ai ouvert ma garde-robe pour me choisir une autre paire d'espadrilles parmi toutes celles qui, pêle-mêle, en tapissaient le fond. Je n'ai pu m'empêcher de penser : quelle chance, quand même !

Mon téléphone avait retrouvé ses esprits. J'en ai profité pour poser quelques questions à Siri.

— Siri, qui est Dieu ?

— **Dieu est un concept philosophique ou religieux.**

— Me semblait aussi.

Il y a des gens qui prennent les concepts au sérieux. C'est leur droit.

— Siri, peut-on vivre sans manger pendant 40 jours ?

— **Un être humain peut vivre sans manger de 20 à 40 jours.**

— Siri, les femmes ont eu le droit de voter en quelle année au Québec ?

Elle m'a donné une liste de sites Internet à consulter, ce que j'ai fait plus tard en les survolant rapidement. Siri est comme Visine, elle sait tout et ne s'impatiente jamais. Elle ne déborde pas d'enthousiasme, mais n'en manque pas non plus ; ceci rachète cela.

En sortant de l'autobus, que j'ai attrapé en retard ce matin-là, j'ai pris un raccourci par le terrain de baseball. Je l'avoue en toute sincérité : je n'ai pas toujours de bonnes idées.

Big et ses sous-fifres traînaient là, du côté de l'abri des joueurs, en train de fumer de quoi permettre à leur cerveau de palourde de générer les niaiseries qu'ils allaient débiter tout l'avant-midi. Ils se rouleraient un petit quelque chose au dîner pour supporter l'après-midi et s'assurer d'être, jusqu'à la fin de la journée, insupportables pour tout le monde.

J'ai relevé mon capuchon et pressé le pas pour essayer de sortir le plus vite possible de leur champ de vision. Une autre très mauvaise idée. Ces taouins-là sont comme la foudre : un gars tout seul au milieu d'un terrain vague est une cible de choix pour eux. Et qu'est-ce qu'ils lui veulent à ce pauvre type qui ne fait que passer et qui ne demande rien à personne ? Ils ne le savent pas encore eux-mêmes quand ils le pointent du doigt et lui ordonnent de venir, mais ils finissent toujours par lui inventer un rôle de souffre-douleur qui sert de décharge à leur haine débordante.

— Hé ! Ti-Con, viens icitte !

J'ai essayé la tactique « J'ai rien entendu ». Échec.

— HÉ ! TOÉ ! LA CAPUCHE ! VIENS ICITTE ! ATTENDS PAS QUE J'AILLE TE CHARCHER !

J'y suis allé pour une autre tentative : le dialogue à distance.

— MOI ? J'AI PAS LE TEMPS !
— VIENS ICITTE !
— JE SUIS DÉJÀ EN RETARD !
— VIENS ICITTE, CRISSE !
— BYE !

C'est une technique qui demande d'être bon à la course. Le problème, c'est que ces bozos-là, sans esquisser le moindre pas de course, vous rattrapent toujours. Ils ont un code d'honneur, on ne leur échappe pas. Ils vous coincent tôt ou tard au tournant d'un corridor, dans les toilettes, à l'arrêt d'autobus, peu importe. Et ils sont patients.

J'ai donc couru comme un fou jusqu'à l'école et me suis évertué, tout le reste de la journée, à passer sous les radars, à disparaître, à me glisser entre le mur et la peinture. J'ai même dîné avec Étienne dans l'autobus, en faisant des allers-retours sur les lignes 4 et 18. Il avait déjà goûté à leur médecine, il savait ce que je risquais si je restais visible. C'est par pure compassion qu'il m'a suivi. À chaque arrêt, nous retenions notre souffle, ils allaient peut-être monter, qui sait ? Même si j'avais froid, je n'ai pas remis mon chandail à capuchon de la journée, de peur qu'il ne me trahisse. Ils cherchaient peut-être « la capuche ». L'humain est un être qui vit d'espoir. Et qui a peur.

À 15 h 22 pile-poil, au tout premier son de la joyeuse mélodie qui berce nos fins de journées, j'ai sprinté à toute vitesse sans repasser par mon casier pour gagner le chemin de fer qui passe sur le viaduc bordant l'école. Je mettrais plus d'une demi-heure à longer la voie ferrée avant d'atteindre mon quartier, mais je ne risquais pas d'y croiser Big et ses gorilles. Avec leurs espadrilles sans lacets et leurs jeans à mi-fesse – ou carrément sous la fesse –, il est difficile pour eux de marcher sur un sol accidenté. Je dirais même de marcher tout court.

Même si ce n'était pas l'heure des visites, j'ai décidé de me rendre tout de suite à l'hôpital. Il fallait absolument que je parle à Visine. C'était elle qui m'avait propulsé dans le temps avec son coupe-papier. Elle savait forcément ce qui m'était arrivé. À moins que je n'aie tout imaginé. Plus les heures passaient, plus je doutais de ce que j'avais vécu le matin même. Qu'on m'ait volé mes espadrilles ne prouvait rien, sinon que je n'avais pas su me défendre, encore une fois.

En me faisant discret – j'avais toute une journée de pratique dans le corps –, j'ai facilement pu atteindre la chambre de Visine. Dans la vraie vie, les hôpitaux ne ressemblent pas à ceux qu'on voit dans les films et les séries télé: les infirmières et infirmiers sont des gens ordinaires – et non pas tous des mannequins – beaucoup trop occupés à garder les patients en vie pour vivre des histoires d'amour palpitantes ou se demander s'il n'y a pas des visiteurs cachés dans les coins. Visine somnolait. Elle rapetissait de jour en jour, notre petite arrière-grand-mère. Si elle continuait de fondre comme ça, elle finirait par dispa-raître avant même de mourir. Ce n'était déjà plus Visine, mais une copie délavée de Visine. Quand on meurt, je pense que la couleur s'en va ailleurs. Caché entre le lit et la fenêtre, j'ai murmuré fort.

— Visine! Visine!

— Oh! Joe!

— C'est pas l'heure des visites, mais faut absolument que je te parle.

— Oui ?

— Le coupe-papier, je l'ai rendu.

— Quel coupe-papier ?

— Celui que tu m'as donné hier.

— Je t'ai donné ça, moi ?

— Oui, tu m'as dit de le mettre dans ma poche.

— Ah ?

— Tu voulais que je le rende à quelqu'un, tu t'en souviens pas ?

— Non.

— Quand je l'ai sorti de ma poche, je me suis retrouvé dans un champ, pis après dans une école, avec une maîtresse, mademoiselle Lafrenière, à qui j'ai donné le coupe-papier...

— Mon Dieu, je me rappelle d'elle...

— Pis du coupe-papier ?

— Hum... non.

— Mais tu me l'as donné hier, Visine !

— Hum... je l'ai pris dans mon étui bleu ?

— Oui, c'est ça ! Ton étui, dans ta sacoche !

— Ah oui ! Je comprends... je peux pas me souvenir de te l'avoir donné.

— Pourquoi ?

— Parce que je l'avais pas.

— Mais oui, tu l'avais !

— Non, en lui rendant le coupe-papier, t'as modifié le passé. Dans ce nouveau passé-là, j'avais pas le coupe-papier vu que t'es revenu en arrière pour lui donner, à mademoiselle Lafrenière. Donc je l'avais plus, moi, hier, dans le présent. Tu comprends ?

— Euh… je pense que oui, mais c'est vraiment *full* trop bizarre.

— Je sais, mon petit Joe… Parles-en à personne, on va te prendre pour un fou.

— Est-ce que mademoiselle Lafrenière est encore vivante ?

— Non, elle aurait, attends un peu… plus de cent ans ! Mais j'ai jamais su ce qu'elle a fait de sa vie, elle est juste restée une année à notre école.

— Tu voulais pas lui redonner son coupe-papier quand t'étais petite ?

— J'étais trop gênée de l'avoir volé. Tant que je le gardais, je me faisais pas chicaner.

— Pourquoi 'est partie ?

— Dans le temps, on disait qu'elle était partie travailler en ville. Ça avait fait beaucoup jaser au village.

— Pourquoi?

— Parce qu'elle avait plein de beaux prétendants qui rêvaient de la marier, des beaux partis, mais ça l'intéressait pas.

— Sérieux?

— C'était compliqué, à l'époque, mon 'tit cœur, on aimait que le monde rentre dans des moules tout faits. Mais va donc me chercher mon étui bleu, dans ma sacoche. J'aimerais que tu fasses une petite course pour moi.

La sacoche attendait patiemment sur le crochet de la garde-robe. Sur l'épaule de Visine, elle était plus jolie.

— Visine, je pense à ça!

— Mmm?

— On s'est peut-être croisés là-bas, toi pis moi?

— Oui, c'est fort probable.

— T'avais quel âge en 1937?

— Euh, attends que je calcule… six-sept ans.

Ses yeux se sont noyés dans une mer de rides refoulées par son énorme sourire. C'est le moment qu'a choisi l'infirmière pour entrer. J'ai tout de suite compris, à ses traits contrariés et sa main posée sévèrement sur la hanche, que mon pouvoir d'invisibilité avait ses limites. J'ai joué l'innocent qui ne connaissait pas le règlement.

— Qu'est-ce qu'on fait ici, jeune homme? C'est pas l'heure des visites!

— Ah! non? Oups! Je me suis trompé.

— Ouste, dehors! Faut que je m'occupe de madame.

— Désolé, je m'en vais.

— Attends, mon 'tit poulet, viens ici.

— Madame, soyez raisonnable, faut vous reposer, vous êtes au bout de vos forces.

— Quand je vais être morte, je vais juste faire ça, me reposer. Mon 'tit loup...

Je me suis approché de Visine qui farfouillait dans l'étui que je venais de lui donner.

— As-tu aimé ça, le tout-ce-qui?

— Oui, pas pire, y avait des morceaux mous dedans, mais c'était bon pareil.

— Tu sais ce qu'on met dans un tout-ce-qui?

— À peu près…

— Hi! hi!

C'est alors qu'elle m'a glissé dans la main un truc rouillé que je n'ai pas tout de suite reconnu.

— C'est une ruine-babines. J'ai jamais pu monter au chantier, c'est un monde de gars…

— Bon, c'est assez, jeune homme! Vous reviendrez à l'heure des visites.

Elle m'a poussé dehors avec ses yeux de super-infirmière. Elle avait peut-être des pouvoirs, comme les X-Men. Après ce que je venais de vivre, tout me semblait possible.

En sortant, j'ai jeté un coup d'œil sur le formulaire accroché au pied du lit de Visine: « Madame Thérèse Beaudoin ». Je n'avais pas fait le lien! Elle m'avait proba-blement déjà dit son nom, quand j'étais tout petit, mais il s'était presque effacé de ma mémoire à force de l'appeler Visine. C'était elle, Thérèse, la petite va-nu-pieds.

Une fois hors de la chambre, j'ai fouillé mes poches pour retrouver le bout de pain sec que la petite Thérèse m'avait donné. Elle me pardonnerait de ne pas le manger, il m'aiderait peut-être à comprendre comment fonctionnait l'étui.

À quelques pas de la chambre de Visine, un journal traînait sur une chaise. Je m'en suis servi comme écran en attendant que l'infirmière ressorte de la chambre. J'ai poireauté là un bon moment, les yeux rivés sur des colonnes de chiffres qui ne me disaient rien – cahier de la Bourse et ramassis de statistiques incompréhensibles –, avant de pouvoir y retourner. À la une du journal, le président Trump sabotait une autre entente sur le climat.

L'infirmière avait tamisé les lumières au maximum, j'ai dû m'orienter à tâtons dans la chambre. Visine dormait comme une enfant malade, ou comme une morte. L'image s'est imposée d'elle-même, je n'ai rien pu faire, mes pensées semblaient s'accorder à l'inévitable. Mes doigts ont facilement retrouvé l'étui. À l'aveuglette, je l'ai ouvert et y ai glissé le bout de pain de la petite Thérèse. J'avais vraiment besoin de comprendre son fonctionnement.

Chez nous, pour le souper, il y avait encore des frites. Depuis le départ de Visine, mon père essayait de nous faire plaisir sans trop savoir comment s'y prendre. Et comme nous raffolions des frites, Lili et moi, il y en avait chaque soir comme accompagnement : du poulet et des frites, des saucisses et des frites, de la lasagne et des frites, des tacos et des frites, du blé d'Inde et des frites, etc. Pour varier, un soir, il nous a fait... de la poutine. Je commençais sérieusement à m'inquiéter pour la croissance de ma petite sœur. On m'avait tant assommé avec les fabuleuses vertus des légumes depuis ma tendre enfance, que je n'arrivais plus à manger mes frites en paix. Et Crénini sentait le vieux fromage pourri à force d'être badigeonné de mayonnaise.

— P'pa ?

— Mmm ?

— As-tu déjà mangé du tousseki ?

— Mmm mmm.

— On pourrait-tu en faire ?

— Là, là ?

— Non non. Demain, mettons ?

— C'est fait avec des légumes.

— Je sais.

— T'aimes pas les légumes.

— Oui, mais ça goûte pas vraiment les légumes.

Autour de ses yeux, des petites rides sont apparues ; c'est sa façon de rire.

Et pendant cette période difficile, mon père a cru bon de ne pas prononcer le nom de Linda, cette femme qui ne pourrait jamais remplacer ma mère. Ça, j'ai souhaité que ça dure toujours.

8

La médaille à miracles

Le soir même, après notre spag-frites (!), nous sommes venus tous les quatre visiter Visine (Crénini nous escortait). J'en ai profité pour récupérer, très discrètement, le bout de pain sec déposé plus tôt dans l'étui. Il me semblait intact, tout aussi sec et friable. L'étui n'en avait pas modifié la texture. Je l'ai mis au fond de ma poche. L'harmonica ruine-babines patienterait dans le tiroir de ma table de chevet.

Après avoir livré mon dernier journal, le lendemain matin, j'ai jeté un coup d'œil à la ronde pour m'assurer d'être bien seul et j'ai sorti le bout de pain. Lentement, j'ai fermé les yeux et, comme prévu, l'asphalte s'est dérobé pour laisser place à un chemin de terre battue parsemé de cailloux, d'épines et de bouts de branches. Contrairement à la veille, je savais parfaitement où j'étais.

La petite Thérèse n'a pas tardé à se pointer. Elle m'a souri de toutes ses pas belles dents.

— T'es là ? T'as disparu hier !

— Désolé, Thérèse. Y a fallu que je parte super vite.

— Pourquoi ?

— Ce serait compliqué à expliquer…

J'étais fasciné par ses yeux, les mêmes que ceux de Visine. La chair rose de ses joues formait des traits à peine reconnaissables, mais son regard était le même. J'ai eu envie de la prendre dans mes bras et de la supplier de ne jamais mourir, mais je lui aurais fait la peur de sa vie. La petite fille qui se tenait devant moi allait vivre encore 80 ans. Mais dans ma vie, à moi, elle était sur le point de s'éteindre pour de bon.

— Tu vas marcher avec moi ?

— Non, j'ai pas vraiment le temps…

— WOUAAAAAH !

— QUOI ?

— T'as des nouveaux *rubbers*...

— Non, sont pas neufs, c'est juste que... justement, je voulais te demander de faire un message pour moi.

— Un message ?

— Oui, un message important : dis à Guillaume que je lui donne mes espadrilles, mes *rubbers*, ceux avec lesquels y est parti hier.

— Donnés donnés ? Pour toujours ?

— Oui, j'en ai d'autres, j'suis correct.

— Chanceux...

— Attends.

J'ai fouillé mes poches pour essayer de trouver quelque chose à lui laisser. Heureusement, une pièce de 25 cents avait échappé à mon attention.

— Tiens, c'est pas grand-chose, mais ce sera comme un souvenir.

Ses yeux sont devenus des billes surdimensionnées. Elle m'a tendu une paume sale aux jointures noircies.

— C'est quoi ?

— Un 25 cents.

— Un vrai ?

— Oui, un vrai.

— Tu me le donnes ?

— Oui.

— Pour vrai de vrai de vrai ?

— Oui.

Elle a regardé par-dessus son épaule, à droite et à gauche, et comme une huître, sa main s'est refermée. C'était la première fois que je voyais quelqu'un s'émouvoir autant pour un quart de piasse. La seule chose qu'on pouvait encore acheter avec 25 cents, c'était une poignée de faux *jelly beans* dans la machine distributrice du club vidéo. Et le club vidéo n'allait pas tarder à disparaître, comme les sous noirs, les journaux, et toute une série d'autres choses.

— Moi aussi, j'ai quette chose pour toi. Ouvre ta main.

En trépignant de joie, elle a laissé tomber dans ma paume, à côté du bout de pain que je tenais toujours, un minuscule médaillon argenté.

— C'est quoi ?

— C'est une médaille à miracles.

— À miracles ?

— Ouin, mais ça fait pas de miracles pour vrai. Ça marche pas.

— T'as déjà essayé ?

— Oui.

— Qu'est-ce que t'as demandé ?

— Je peux pas te le dire.

— Pourquoi ?

— Parce que.

— C'est qui sur la médaille ?

— Franchement ! C'est Marie !

— Ah ! La mère de l'autre, celle qui est pas *full* infiniment parfaite…

— Ha ! Ha ! C'est drôle quand tu dis ça…

— Ben merci. Je vais la garder comme porte-bonheur.

— C'est quoi, ça ?

Elle regardait avec envie le pain qui s'émiettait dans ma main.

— Pourquoi tu l'as pas mangé ?

— Je voulais le garder pour plus tard. Tu le veux ?

Au « voui » empressé qu'elle m'a fait avec sa tête qui balayait l'air de haut en bas, je n'ai pas eu le choix de le lui rendre. Je savais qu'à partir du moment où le pain m'échapperait, le portail temporel, ou peu importe ce que c'était, ne mettrait pas de temps à me ramener dans l'autre millénaire, là où le pain sec ne fait plus le bonheur que des oiseaux.

— Tu pourrais aussi faire un message à mademoiselle Lafrenière ?

— Mmm mmm.

— Dis-lui que les femmes vont bientôt obtenir le droit de vote.

— Hein ?

— Dis-lui juste "vote des femmes, 1940". Tu peux retenir ça ?

— Mmm mmm.

— Je pense qu'elle va comprendre. Pis t'oublieras pas pour Guillaume ?

— Nanon !

— Je voudrais pas qu'on le prenne pour un voleur.

— T'es sûr que tu peux pas venir avec moi ?

Le pain faisait des tonneaux dans sa bouche pour laisser passer les mots.

— C'est mieux pas, ça va mélanger tout le monde.

— Pourquoi ?

— Parce que.

Ça me coûtait vraiment de lui faire de la peine.

— Mais je te jure qu'on va se revoir pis qu'on va passer plein de temps ensemble.

— Demain ?

— Euh… à un moment donné.

— Je te crois pas.

— Je te le jure sur la tête de Lili.

— C'est qui, Lili ?

— C'est ma petite sœur.

— Faut que t'ailles t'occuper d'elle ?

— Oui.

Rassurée, elle a pivoté sur elle-même en avalant les derniers atomes de pain. Elle aurait encore à affronter une guerre mondiale et une longue vie sans enfant avant qu'on se retrouve, mais je n'avais pas menti. Je serais alors encore un peu plus jeune et elle, beaucoup plus vieille.

Sans le vouloir, j'ai cligné de l'œil et la ville a botté le derrière à la campagne en une fraction de seconde. À mes pieds, sur l'asphalte craquelé de partout comme un fond de lac asséché, un chat me faisait le dos rond, griffes sorties, queue ébouriffée.

— Wooo ! Calme-toi, le chat.

— Chhhhhhhhhh !

— Je sais, c'est vraiment bizarre.

De retour chez moi, j'ai longuement regardé l'harmonica. Sur l'une des deux plaques métalliques qui tenaient en sandwich le morceau de bois troué, on pouvait lire « Marine Band » à travers les taches de rouille. Avec un petit tournevis à tête plate, j'ai retiré la partie supérieure de l'instrument pour essayer d'en comprendre le mécanisme. C'est une envie qui me prend souvent avec les objets, même si je n'arrive jamais tout à fait à les reconstruire une fois démontés. C'est à ce moment-là que l'idée m'est venue.

Une fois à l'école, je n'ai pas cherché à éviter Big. J'étais à mon casier avec Étienne quand il est apparu accompagné de sa bande de demeurés au bout du corridor. Je n'ai pas bronché d'un poil. En temps ordinaire, on aurait appelé ça un suicide; pour l'heure, ce n'était qu'une partie de mon plan. Étienne a essayé de m'entraîner avec lui.

— Non, je bouge pas.

— T'es malade ?

— J'ai un plan.

— Y va t'arracher la tête !

— Ce serait mieux que tu t'en ailles.

— Ben oui, c'est ça, moi le gros lâche, je vais te laisser tout seul.

— Ce serait vraiment mieux, sinon tu vas faire foirer mon plan.

— C'est n'importe quoi…

— Je te le jure sur la tête de Lili.

— Merde… t'es vraiment malade !

Je l'ai vu tourner le coin au moment où Big m'apostrophait.

— Quin ! Regarde ça qui est là !

Mon cœur battait la chamade, je devais me concentrer pour rester calme. Ces gars-là se nourrissent de la peur des êtres vulnérables comme d'autres de *junk food*, je devais les laisser sur leur faim, ne pas céder à la panique. J'ai même invoqué Crénini pour qu'il me vienne en aide.

Comme dans mes pires cauchemars, la main de Big s'est refermée sur le col de mon chandail qu'il a tordu comme une guenille trempée pour me plaquer rudement le dos au casier. Ma pomme d'Adam naissante venait de retraiter vers le fond de ma gorge. Sa bouche molle et baveuse de gros pas propre à l'haleine pestilentielle s'est collée sur mon oreille. J'entendais la salive aller et venir entre sa langue et son palais. C'était horriblement crémeux. J'ai réfréné mon envie de vomir.

— Quand je te dis de venir me voir, t'amènes ton cul tu suite, OK, 'tit con? C'est-tu clair?

— Mmm mmm.

— Si tu viens pas me voir, c'est moi qui viens, pis quand c'est moé qui viens, c'est pas mal moins le *fun*.

Le brouhaha s'est intensifié autour de nous: l'un des gardiens de sécurité approchait. J'ai naïvement cru que j'allais m'en sortir comme ça, sauvé par la cloche. Mais au lieu de me relâcher, Big m'a poussé dans mon casier – je dis bien «dans» mon casier –, à grand renfort de coups de pied et de coups de poing. Tout mon corps s'est soudainement découvert une capacité à rapetisser que je ne lui connaissais pas. Big a réussi à fermer la porte et mon cadenas avant de décamper avec son clan de petits minables.

De longues minutes plus tard, le gardien m'a libéré en coupant mon cadenas avec une pince à métal. J'ai refusé de dire qui m'avait fait ça, évidemment. Dans la cohue, il n'avait pas vu faire le gros imbécile. Mon but était atteint, c'était tout ce qui comptait : j'étais parvenu à glisser la plaque dévissée de l'harmonica dans l'une des poches du manteau de Big. Sans savoir ce qu'était le « monde de gars » évoqué par Visine, je me doutais bien que ce ne serait pas de tout repos. L'affaire s'est révélée bien plus intéressante que prévu.

À la fin des cours, j'ai filé directement à l'hôpital. Couvert par l'agitation habituelle des corridors d'hôpitaux, je me suis faufilé jusqu'à Visine qui semblait plus affaiblie que jamais. Ses yeux ne parvenaient plus à s'ouvrir complètement. Ils n'étaient plus que des quartiers décroissants d'une lune qui ne serait plus jamais pleine.

— Visine, c'est Joe.

— Joe… mon petit.

— Regarde ce que j'ai pour toi.

J'ai approché la médaille à miracles de ses fentes d'yeux pour qu'elle puisse bien la voir. Marie était là, auréolée de son assiette, les bras ouverts, la tête baissée, mais elle avait pris un sacré coup de vieux, le métal avait subitement terni alors qu'il reluisait quelques heures plus tôt. J'avais emmailloté la médaille dans un mouchoir placé au fond de ma poche, mais le temps l'avait tout de même rattrapée.

— Oh mon Dieu! tu l'as gardée tout ce temps-là…

— Tu me l'as donnée ce matin.

— Y a 80 ans…

J'ai déplié doucement ses doigts raidis par l'usure du temps pour déposer la médaille noircie dans sa paume. Une petite larme a jailli de ses yeux.

— Je t'ai attendu si longtemps…

— Je te l'avais dit qu'on passerait plein de temps ensemble.

— C'est juste quand Lili est née… que j'ai compris que c'était toi…

Nous étions arrivés dans l'immeuble quand j'avais tout juste six ans. Elle n'avait pas fait le lien entre le petit gars qui venait de s'installer au-dessus de chez elle et l'adolescent chaussé d'étranges *rubbers* croisé quand elle avait six ou sept ans.

— J'ai commencé à t'attendre en 1996.

— Pourquoi en 1996 ?

— C'était la date sur le 25 cents.

— Tu l'as gardé ?

— Non… mes frères me l'auraient volé… pour aller s'acheter des bonbons chez Lévesque.

— Qu'est-ce que t'as fait avec ?

— J'ai acheté des bonbons… pfff… plein de bonbons… pfff.

— T'es encore là, toi ? Je vais finir par être obligée d'appeler la sécurité !

Je n'avais pas vu l'infirmière entrer.

— J'suis parti madame ! J'suis même pas là !

— SI JE TE REVOIS ENCORE ICI AVANT L'HEURE DES VISITES, JE TE FAIS SORTIR PAR LE FOND DE CULOTTE !

Cette nuit-là, j'ai très peu dormi. À l'idée du plongeon dans le temps qui m'attendait le lendemain matin, mon esprit hésitait entre la terreur et la fascination. Un peu comme quand j'ouvre les yeux en nageant dans un lac.

9

La forêt

Quand je me suis mis en route pour ma tournée, le lendemain matin, ma colonne vertébrale avait la souplesse d'un deux par quatre, mes bras se couvraient de chair de poule par intermittence, au rythme des allées et venues de ma lucidité, et ma tête d'oiseau pourchassé partait dans tous les sens au moindre bruit. Tout allait bien. J'étais légèrement stressé, mais pas de quoi s'inquiéter.

Arrivé devant la maison du bonhomme Saint-Onge, j'ai plongé la main au fond de ma poche pour attraper l'harmonica enveloppé dans une guenille. Ça me semblait le meilleur endroit pour faire ça, le bonhomme ne risquait pas de sortir. Je l'ai doucement déballé et déposé au creux de ma main noircie par l'encre des journaux. Comme prévu, au premier clignement de l'œil, la ville a disparu. Plus de maisons, de trottoirs en béton striés de joints de dilatation ni de rues en asphalte lisse, pour le confort de la roue comme du pied. Et cette fois, pas de petit chemin sinueux serpentant dans une mer de champs de blé. Les problèmes commenceraient bientôt, ça se voyait de partout : je me tenais au beau milieu d'une forêt dense qui sentait fort les feuilles mortes et la nature sauvage.

Je regardais tout autour de moi pour essayer de comprendre où j'avais abouti quand j'ai entendu des bruits au loin, une alternance de fracas secs et de grands « han ! » poussés sous l'effort. Même si je mourais d'envie de savoir ce que c'était, j'hésitais à me montrer, n'ayant aucune idée de ce que je découvrirais à la source du bruit. La ruine-babines m'offrait peu d'indices, sinon que je n'étais probablement pas dans une forêt de cannibales (avec une flûte de bambou, je l'aurais envisagé). C'était déjà ça. On trouve du réconfort où on peut.

Finalement, j'ai choisi de me lancer vers les bruits en brandissant bien haut l'harmonica pour ne pas qu'on se méprenne sur mes intentions. Comme ça, on ne perdrait pas de temps et je serais de retour chez nous assez vite. De mémoire d'homme, personne n'a encore jamais menacé qui que ce soit avec une ruine-babines. Je me disais que le gars qui me verrait arriver avec ça reconnaîtrait tout de suite son instrument, s'écrierait « Oh, mon Dieu, je la cherchais depuis longtemps ! » avec beaucoup d'émotion et que je pourrais rentrer chez moi sain et sauf, en un seul morceau, espadrilles et vêtements inclus.

— Bonjour, excusez… euh… bonjour…

Premier pépin, le gars était sourd comme un pot.

— BON-JOU-REU !

— Ah ! Ben ! Regarde donc ça !

— Bonjour !

— T'es-ti le nouveau *shoboy* ?

— Euh… non, pas vraiment.

— C'est de valeur, j'aurais pas craché su' un gobelet de bonne eau fraîche, moé.

— Ah, j'ai pas d'eau, désolé.

— C'est-ti le *jobber* qui t'envoie par icitte?

— Euh… non, je suis venu par moi-même, pour l'harmonica.

Ses yeux se sont promenés sur l'instrument que je tenais encore à bout de bras sans comprendre. Il ne voyait apparemment pas de quoi je parlais. Le fait que j'en aie retiré un bout pour le glisser dans la poche de Big avait peut-être faussé la trajectoire temporelle. Il y avait eu distorsion quelque part. Je n'étais pas tombé sur la bonne personne.

— Va falloir que tu te trouves un autre coin si t'es venu pour bûcher, mon grand, parce que c'est mon rond de bois, icitte. Tu regarderas ben, j'ai notché mon territoire.

— Non, non, je viens juste pour l'harmonica.

En le lui tendant, pour essayer de clarifier la situation, j'ai remarqué qu'il n'y avait plus la moindre trace de rouille nulle part, que le métal rutilait comme celui d'une voiture neuve.

— Ah ben, t'es venu me faire un 'tit *reel* ?

— Ben non, je sais même pas en jouer.

— Y en manque un boutte, à ta musique à bouche !

— Je sais.

— Pis veux-tu ben me dire d'où ce que t'arrives atriqué de même ? T'as même pas de hache ! Pas de bagage !

— C'est dur à expliquer...

Je ne savais pas par où commencer. Il observait avec inquiétude mes espadrilles de soccer jaune et bleu avec des lignes vert fluo. Si mon téléphone avait été en état de marche, j'aurais pu le prendre en photo afin de m'en inspirer pour l'Halloween : il portait des grandes bottes de cuir, une tuque pendouillante, une chemise à carreaux, un pantalon à taille haute et une espèce de foulard multicolore enroulé sur ses hanches. Son « attricure » battait amplement la mienne. Malgré cela, j'étais conscient d'être encore une fois le bizarre dans le décor.

— Je comprends, le jeune. On a chacun nos raisons d'aboutir icitte, je respecte ça. Mais là, faut que j'arrête de jaser, j'ai deux cordes à sortir aujourd'hui, sinon le fatigant à Lépine va me niaiser à soir.

Avec sa hache, il a recommencé à frapper un arbre qui avait de moins en moins envie de rester debout. C'était un homme d'une incroyable force qui donnait l'impression de danser tant ses coups de hache étaient fluides et réguliers. Les manches relevées de sa chemise découvraient des bras secs sillonnés de nerfs tendus qui n'avaient rien à voir avec les muscles gonflables des gars que je voyais à la télé. Certains montrent leurs bras, d'autres les utilisent. Cet homme-là appartenait de toute évidence à la deuxième catégorie. Je me suis promis d'être très, très, très poli avec lui.

— Vous êtes pas tout seul !

— Han !... ben... han !... non... han !...

— Sont où, les autres ?

— Han !... chacun... han !... sur... han !... son... han !... rond... han !... de bois... han !

— Vous avez une maison, j'imagine ?

— Han !... ouin... han !... un... han !... camp... han !...

— C'est loin ?

—Han!... ouin... han!... 25... han!...
minutes... han!... par... han!... là... han!

Il avait sensiblement hoché la tête vers
la gauche pour me montrer un bout de
forêt qui ressemblait... au reste de la forêt.
Je me suis approché de l'entrée du « par
là » en scrutant le feuillage entre les arbres
sans apercevoir le moindre chemin. Il était
hors de question que j'y mette le pied tout
seul. Les branches craquaient, le plancher
de mousse grouillait de bestioles qu'on ne
voyait même pas. C'était sans compter les
moustiques et les petits brûlots qui cherchaient à se faufiler sous mes vêtements.
Aussi bien se jeter dans la gueule du loup,
qui ne devait d'ailleurs pas être bien loin
dans ces touffeurs végétales hostiles. Je
n'avais aucune envie de me lancer dans
cette souricière, surtout que je ne connaissais ni le chemin à suivre ni ce que je cherchais. J'étais un peu insouciant et naïf,
d'accord, pas imbécile.

Comme je m'y attendais, mon cellulaire
se tapait encore une commotion cérébro-
numérique, incapable de se souvenir qu'il

possédait, dans l'autre millénaire, une fonction **GPS**. Si je m'étais trouvé devant un lac, je m'en serais servi pour faire des ricochets à la surface de l'eau.

Je suis donc revenu près de l'homme fort et, pour la première fois de ma vie, je me suis réellement tiré une bûche. Quand l'arbre sur lequel il s'acharnait à mon arrivée est enfin tombé, j'ai applaudi.

—Ah! T'es encore là! T'allais pas au camp?

—J'ai pensé vous attendre, je sais pas trop par où aller.

—T'as ben faite! Y en a des gars qui se sont écartés dans le bois, même des gars qui connaissaient la forêt comme le fond de leu' poche.

—C'est ça que je me disais.

—Mais tu vas pas rester assis de même sur ton *bacon* toute la journée à me r'garder, toujours ben?

—Vous allez y retourner à un moment donné, j'imagine, pour aller dîner ou aller aux toilettes…

Il est parti d'un grand rire gras presque caricatural, comme celui qu'aurait lâché un bûcheron au cinéma. J'ai eu l'impression que ça lui demandait plus d'énergie de rire que de bûcher.

— Y a des bécosses partout icitte, regarde autour! Ha! Ha! Ha!

En pointant à la ronde avec sa hache, il m'a montré toutes les possibilités qui s'offraient à moi si une envie me prenait. C'est vrai qu'un petit pipi dans une jungle pareille, ça ne risquait pas vraiment d'ébranler l'équilibre écologique.

— Vous mangerez pas?

— J'prends toujours mon lunch icitte, j'suis loin du camp, je perdrais trop de temps à y retourner. Je vas bûcher jusqu'à la brunante, le temps est à la pluie. Je veux me mettre une bonne brassée de pitounes en réserve pour les prochains jours.

— Bon, pas le choix, je vais attendre.

— J'aurai ben un boutte de lard pour toé.

— Ça va, merci.

— Rends-toé utile, toujours ben, tu pourrais me clairer cet arbre-là pendant que j'en couche un autre. Tu vas pogner ta mort si tu restes assis de même, c'est mauvais pour les humeurs.

— Clairer? Dans le sens de faire dispa-
raître?

— *Oh boy!* T'arrives-ti de la ville, toé,
coudonc?

— Ouin, genre.

— Viens icitte, m'a te montrer ça. Faut
commencer quèque part.

Avec sa hache, il s'est mis à faire sauter
les branches du tronc d'arbre abattu plus
tôt comme s'il balayait de la poussière. On
aurait dit qu'il démembrait une construc-
tion de Lego, les pièces se détachaient sans
résistance à chacun de ses coups de lame.

— Tu vois, c'est facile : tu donnes un bon
petit coup sec à la base de la branche dans
le sens du grain pour pas faire des grandes
éclisses, sinon ta pitoune est gâchée. Tiens,
vas-y.

J'ai d'abord pris la hache trop près du
manche. Ça n'allait pas du tout : mes coups
manquaient de vigueur ou frappaient l'air
à pleine puissance, avec un effet boome-
rang qui ramenait dangereusement la lame
vers moi. Quand j'ai changé de main pour
voir si la gauche se débrouillait mieux – je

n'étais peut-être pas droitier à la hache –,
le bûcheron a semblé encore plus inquiet.

— Bon bon bon, le jeune, on va te donner autre chose à faire. Tu vas piler pour
aujourd'hui.

Il m'a sorti un crochet de pirate avant de
m'expliquer, gestes à l'appui, qu'il s'agissait
tout simplement de bien « mordre le cul
de la pitoune » avec le crochet, d'attraper
l'autre bout avec la main libre et de swigner la bûche pour la poser avec les autres,
jusqu'à obtenir des rangées bien ordonnées
de huit pieds par quatre pieds.

— Tout le monde peut faire ça, même les
femmes.

Il fallait vraiment être dans l'ancien
temps pour entendre un truc du genre (c'est
insultant pour les femmes). J'ai laissé faire.
Par où commencer, de toute façon ?

— Mais je fais comment pour savoir que
j'ai huit pieds par quatre pieds ?

— Commence à corder, je te passerai la
sciotte pour mesurer.

— Pourquoi la sciotte ?

— La sciotte fait quatre pieds.

— Ah, c'est pratique.

J'ai failli m'embrocher quelques fois le mollet avant de réussir à mordre ma première pitoune. L'attraper par l'autre bout a été un jeu d'enfant, j'ai des grands bras de singe, comme dit Visine. Même en y mettant tout ce que j'avais de force, je n'arrivais à la soulever que de quelques pouces. Peu importe où je me trouvais sur la planète, la gravité n'était pas la même, aucun doute possible. La pitoune restait insensible au spectacle des veines de mon cou qui se tendaient, du sang qui affluait dans ma tête et de la morve qui me dessinait une petite moustache gluante au-dessus de la lèvre supérieure.

— Han!... force... han!... avec... han!... les... han!... jambes... han!

Avec les jambes, facile à dire, tout le haut de mon corps était écartelé.

— Han!... plie... han!... les... han!... genoux... han!

Il a fini par s'arrêter. Ça me coûte de le dire, mais je crois qu'il avait un peu pitié de moi. Dans une parfaite harmonie de mouvements, il a mordu attrapé soulevé cordé la pitoune sans montrer le moindre signe d'effort. Même mon père aurait été impressionné.

— C'est pas une question de force. Faut que tu pognes la *twist*. Les bras tiennent la bûche, c'est les jambes qui la lèvent de terre, si tu fais pas ça, tu finiras pas ta journée.

— Justement, y est quelle heure, s'il vous plaît?

— Tu sais pas lire l'heure?

— Euh... oui, mais mon cell est mort.

— T'es vraiment un drôle de moineau, toé...

— Pis j'ai pas de montre.

— Pas besoin de montre!

— Non?

— Lève les yeux.

— OK.

— C'est là.

— Quoi?

— L'heure.

— Je comprends pas.

— L'est est là, l'ouest de l'autre bord. On est en octobre...

— OK...

— Le soleil se lève là, un peu passé six heures.

— OK...

— On lunche quand le soleil est à sa pointe de culminance, drette là.

— OK...

— Pis on rentre un peu avant cinq heures, quand le soleil plonge là-bas.

— OK...

— Fait que devine, astheure.

— Bof! Genre 10 heures?

— Pas loin! Une 'tite demi-heure trop vite, y monte toujours plus lentement qu'y descend.

Il s'est remis au travail et j'ai repris le crochet, il fallait bien que j'arrive à quelque chose. J'ai pris la grosse pitoune dans mes bras et l'ai soulevée de terre par la force de mes jambes. Wow! Je me suis retenu de crier de joie, pour ne pas avoir l'air de m'être auto-impressionné. Ça m'a encore pris des dizaines d'essais avant de parvenir à swigner une bûche, mais mon corps a fini par s'adapter à la violence du geste.

Les mouches, les mouches, les foutues mouches, les satanées mouches noires me mangeaient, me trouvaient de la peau où je n'en avais même pas. Et ce n'était pas la saison, selon mon bûcheron ! J'ai ma petite théorie sur cette véritable nuisance : je crois que les mouches sont aussi désagréables parce qu'on leur a donné un nom qui commence par « mou » et qu'elles n'en finissent plus de se venger. La chaîne alimentaire regorge d'êtres sensibles et rancuniers.

10

Big la chochotte

Quand on s'est arrêtés pour dîner, mes jambes flageolaient comme si elles étaient en coton. Il me restait tout juste assez d'énergie pour me tirer derechef une bûche et me laisser tomber dessus comme la larve que j'étais devenu. Même en utilisant la bonne technique, je ne finirais pas la journée. J'ai regardé le travail que je venais d'accomplir: 12 pitounes mal cordées (en comptant les quatre déjà alignées par le bûcheron). Des petites écorchures rougeâtres striaient la peau de mes mains recto verso. Pour une des rares fois dans ma vie, ça me consolait d'être jeune, ça me permettait de mettre ma piètre performance sur le dos de mes 13 petites années.

— Bon, le jeune, on va se rationner sur le lard, on sera moins lourds pour continuer.

— Mais non, gardez-le, c'est votre lunch, pis vous travaillez pas mal plus fort que moi.

— À te voir, on dirait pas ça, t'es à moitié mort.

— J'suis pas habitué.

— Ça va venir.

— Je pense pas, j'ai des mains en peau de fesse.

— Fais-toé pas du mouron avec ça, tes mains vont se faire de la corne, comme tout le monde.

Je n'allais pas me faire de mouron avec ça, pas plus qu'avec quoi que ce soit d'autre, peu importe ce que ça voulait dire, parce qu'il était hors de question que je fasse quelque chose qui commence par le mot « mou ». Et dans quelques jours, de toute façon, je serais mort et enterré depuis long-temps si l'harmonica ne me sortait pas de là. Il n'y aurait alors pas plus de corne que de mouron.

L'homme m'a tendu un bout d'une grosse tranche de pain plus arrachée que coupée, un morceau de viande séchée qui sentait le sel à plein nez, et il m'a invité à faire descendre le tout avec une bonne rasade d'un liquide brunâtre littéralement dégoûtant. Du thé, qu'il a dit. Il n'y a que Visine qui boit du thé, c'est un truc du Moyen Âge, le thé. Je regrettais de ne pas avoir pensé à me glisser un petit berlingot de lait au chocolat dans la poche, pour la route.

C'est au moment où le bûcheron, dont j'ignorais encore le nom, me tendait une tasse métallique pleine de fèves au lard tièdes que Big est apparu en hurlant, complètement terrorisé. De sa bouche sortaient des sons incompréhensibles noyés de bave. Quand ses yeux sont tombés sur nous, il est venu choir à nos pieds en chignant comme une chochotte. Je n'avais pas prévu ça.

— Calme-toi, c'est correct.

— Non non non non non...

Logiquement, j'aurais dû lui demander ce qu'il faisait là, dans le fond des bois, mais je le savais parfaitement. Pour être franc, ça me plaisait vraiment de le voir dans tous ses états.

— Là là là là là là...

J'ai suivi son bras pour découvrir que de « là », justement, ce « là » qu'il n'osait même pas regarder, arrivait un énorme tas de poil qui se dandinait mollement en balayant l'air de sa grosse tête. Sans le corps menaçant et les griffes, une tête d'ours, c'est presque joli. Lili aurait probablement dit « Hon, trop mignon ! » avant même d'avoir peur.

— Bougez pas, pas de panique, sont pas méchants !

— (Couinements et sanglots étouffés.)

— On va voir ce qu'y nous veut... Y est rond comme un œuf, pas d'inquiétude, y s'est bourré la face de bleuets, celui-là.

On imagine mal comment ces micro-perles de fruits peuvent remplir pareil monstre. Pour l'affronter, je n'avais à la main qu'une tasse de fèves au lard.

— Viens vers moi, le jeune, doucement, monte sur la bûche, pis assis-toé sur mes épaules.

— Mmm... mmm ?...

— Oui, t'es capable, viens...

Je n'arrivais pas à prononcer un mot. Catatonie totale. Pendant que l'ours levait le museau en reniflant très fort pour comprendre ce qu'il avait devant lui, le bûcheron m'a attrapé par le bras. Big attendait la mort, roulé en boule à nos pieds.

— Laisse-toé pas impressionner, le jeune, ça voit rien, un ours. Y a senti notre lunch, y nous veut pas de mal. Monte.

Sans trop comprendre comment, j'ai réussi à me hisser sur lui, véritable pan de mur humain. L'ours approchait à pas de tortue, debout, la truffe en l'air, les pattes d'en avant pendantes, comme un snob. J'avais l'impression que la terre tremblait à chaque fois qu'une de ses pattes se posait sur le tapis de feuilles mortes. J'étais littéralement tétanisé. La peur que j'avais ressentie avant les exposés oraux ou les examens n'était rien en comparaison. Mon sang pulsait si fort dans ma tête que n'importe qui aurait pu prendre mon pouls juste à regarder mes tempes.

— Lève les bras !

Même si je suis d'ordinaire plutôt du genre à rechigner quand on me donne des ordres, là, j'ai obéi, juste obéi, sans chercher à savoir ce qu'on faisait. Ça donnait l'impression d'être une manœuvre habituelle dans les circonstances et j'avais vraiment besoin de sentir que la situation était sous contrôle.

— Sors ta ruine-babines, le jeune, ça va être le temps de montrer que t'as des poumons. Mets-la dans ta bouche, lève les bras, pis souffle comme si tu voulais repousser le diable.

De la main droite, j'ai réussi à empoigner l'harmonica au fond de ma poche et à me le flanquer dans la bouche avant de relever mon bras, position vol à main armée, sans quitter la bête des yeux. Avant même que j'aie poussé une improbable note (la partie supérieure de l'instrument était encore dans la poche de Big), l'ours avait décidé de rebrousser chemin et d'aller voir s'il n'y avait pas plus alléchant ailleurs. Je n'ai jamais été aussi heureux qu'un animal me tourne le dos et se foute de moi.

La silhouette de Baloo finissait de s'évanouir dans le bois épais quand les premiers relents de sueur de mon bûcheron ont atteint mon nez. Un bûcheron qui travaille fort, très fort, ça sent la même chose qu'un gars de chantier qui travaille fort : la sueur archi méga super concentrée. N'empêche, c'était bon signe, mon corps récupérait ses fonctions normales. Le soupir de soulagement que j'ai alors lâché s'est transformé en un « faaaaan ! » peu mélodieux en passant dans les trous de la musique à bouche.

— Ah ben, mon gars, on l'a échappé belle ! C'était ben d'adon d'être trois, y s'attaquent jamais à plus grand qu'eux.

Trois ? Sans blague, il comptait la roche molle qui braillait à nos pieds, la craque de fesses à l'air ? L'espèce de chose larmoyante qui avait fait l'huître pendant qu'on se démerdait avec l'ours ? Lui, Big le *bully* de l'école, la grosse brute qui tapait sur tout le monde et qui s'était transformée en larve devant un petit ours ?

— Y a eu une peur bleue, cet ours-là, on n'est pas prêts d'y revoir le museau.

Le bûcheron en mettait un peu avec sa peur bleue, l'ours semblait plutôt avoir fait très peu de cas de notre petit numéro. Il était d'ailleurs reparti aussi lentement qu'il était arrivé.

— Hé! Le jeune! Reprends su' toé, y est parti.

Big se déployait en tentant, pour la première fois de sa vie, de remonter son pantalon. Il avait une tête de zombie, des vêtements sales et mouillés (s'était-il pissé dessus?), des grandes poches sombres sous les yeux. Ça se voyait de partout qu'il venait de passer un mauvais quart d'heure.

— Pis veux-tu ben me dire d'où ce que tu sors, amanché de même?

— Je… je… sais pas…

— Tu vas me dire que t'as pas de hache, toé non plus?

— Euh… je suis arrivé ici… hier soir… pis toute la nuit… je…

Toute la nuit! Ça faisait un long quart d'heure, très long même. Ça expliquait son état lamentable et sa tête d'ahuri. Je n'avais pas pensé au fait qu'il pouvait à tout moment tomber sur le morceau de l'harmonica et se faire catapulter en « mille neuf cent tranquille » sans avertissement. Même si je détestais ce gars-là de toutes les fibres de mon être, je n'arrivais pas à me réjouir de ce que je lui avais infligé:

toute une nuit seul dans le bois, traqué par la peur et la totale incompréhension de ce qui lui arrivait. Une nuit blanche de terreur totale. Ça ne m'apportait rien, ne me soulageait pas, me décevait même. J'aurais aimé rembobiner le temps et ne pas dévisser l'harmonica. Il fallait maintenant que je nous sorte de là.

— On vient tous les deux de la ville. On était partis chacun de notre bord.

— Ah ben! Regarde donc ça! C'est pas une mauvaise idée d'avoir de la compagnie pour monter jusqu'icitte. Bon, c'est pas que j'm'ennuie, les *boys*, mais je vous laisse démêler vos affaires, moé j'ai ben du bois à piler si je veux faire la barbe[1] à Lépine à soir.

Je me suis approché de Big, qui s'appelait en vérité David, et je lui ai montré l'harmonica incomplet.

— Ce serait mieux si je revissais l'autre bout dessus.

— Hein?

---

1. Faire la barbe : se moquer.

— La plaque du dessus, tu dois l'avoir dans tes poches, c'est là que je l'ai mise hier.

— Hier?

— Oui, hier, quand tu m'as enfermé dans mon casier.

Il s'est pris la tête à deux mains, ça débordait d'invraisemblances pour lui. Le lien entre le casier, le bout de métal et le fond des bois n'était pas évident, même pour moi.

— Tu l'as forcément prise dans tes mains, vu que t'es ici.

— *Man*, t'es fucké…

— Le morceau devait être rouillé, mais là, y doit être comme neuf. Faudrait que tu me le donnes pour que je puisse le revisser. Ça va être plus facile de retrouver le propriétaire si y est complet.

— MAIS DE QUOI TU PARLES, *MAN*?

J'ai levé le pouce vers notre bûcheron qui venait de se retourner pour lui signifier que tout était sous contrôle. Les petites discussions font partie de la vie, il comprenait ça. J'ai opté pour l'approche question-réponse.

— OK, on récapitule. As-tu trouvé un bout de métal dans tes poches hier?

— Oui.

— Tu l'as pris dans tes mains ?

— Oui.

— T'étais où ?

— C'est pas de tes affaires.

— Peux-tu me le donner, s'il te plaît ?

— Non.

— On va peut-être être pognés ici si tu me le donnes pas.

— Je l'ai pus !

— TU L'AS PUS ?

— Je l'ai laissé tomber.

— OÙ ?

— Dans le bois.

— DANS LE BOIS ? OÙ ÇA, DANS LE BOIS ?

Il a tourné sa tête en direction d'où il était apparu quelques minutes plus tôt, l'ours à ses trousses.

— Merde ! Comment on va faire pour le retrouver, astheure ?

— Je courais… Mes doigts sont devenus engourdis, je l'ai lâché…

J'ai été secoué par un spasme nerveux qui m'a parcouru la colonne vertébrale des oreilles au coccyx. Mon cerveau disjonctait.

La panique gagnait du chemin dans les boyaux de ma cervelle : nous ne pourrions peut-être plus jamais rentrer chez nous. Sans la partie supérieure, l'instrument ne ressemblait à rien, on ne découvrirait jamais le propriétaire. On serait condamnés à couper du bois du matin au soir jusqu'à la fin des temps. Et Lili qui m'attendait...

— Faut absolument qu'on trouve à qui appartient l'harmonica. On a peut-être encore une chance.

— Une chance de quoi ?

— De rentrer chez nous.

— On est où, icitte ?

— Je sais pas. Pas en Afrique.

— Écoute ben, *man*, si tu me ramènes pas chez nous *right now*, je te jure que...

— Que quoi ? Tu vas me faire quoi ? Tu vas me péter la gueule ? Les dents ? Comme t'as fait à l'ours tantôt ? Je te ferai remarquer que t'as pas de gang de *goons*[2] ici, t'es tout seul, vraiment tout seul.

— Va chier.

— Toi-même.

---

2. *Goon* : bagarreur.

Il a pivoté de 180 degrés et s'est enfoncé dans la forêt, rebroussant chemin sur ses propres pas. Et ceux de l'ours.

— TU T'EN VAS OÙ ?

— ...

— Y A UN CAMP DE BÛCHERONS À 25 MINUTES D'ICI !

— ...

— J'ATTENDS LE BÛCHERON ! JE SAIS PAS COMMENT Y ALLER !

— ...

— TU VAS TE PERDRE !

— ...

— TU POURRAS PAS RENTRER SANS MOI !

— ...

— REVIENS ! T'ES MALADE !

Il s'en foutait, évidemment. Ma remarque, en lui fouettant l'amour-propre, lui avait fait réintégrer son rôle de dur à cuire. Je ne le voyais déjà plus. La forêt venait de l'avaler comme une plante carnivore. On le retrouverait par hasard dans six mois ou mille ans, mort de faim, les os blanchis par les intempéries, grugés comme du gruyère par les vers et les petits rongeurs.

Comme il n'y avait rien d'autre d'intelligent à faire, je suis sagement retourné auprès du bûcheron avec qui, sans grand enthousiasme, j'ai continué d'empiler du bois. Quand il a su que Big était parti tout seul à la recherche du camp, il l'a traité de « maudite tête de cochon » en pariant qu'il allait « s'écarter ». Rien de bien rassurant. Si je survivais, j'aurais sa mort sur la conscience pour le reste de mes jours.

Au bout d'une éternité et demie, mon bûcheron m'a annoncé, à ma grande surprise, qu'on allait devoir rentrer plus tôt : à nous deux, nous avions vidé la réserve d'eau bien avant l'heure prévue. Et risquer de « frapper la grand' soueffe[3] » était trop dangereux.

— Quand un gars se met à délirer, c'est pas beau à voir, cré-moé. J'en ai connu un pis un autre qui ont perdu le nord pour cause de sécheresse intérieure...

Avoir su qu'il ne fallait que ça pour qu'il se décide à rentrer au camp, j'aurais avalé

3. Frapper la grand' soueffe : avoir tout à coup très soif.

d'un trait toute la cruche dès mon arrivée.
Ou je l'aurais envoyée valser « accidentel-
lement » dans le décor.

— De toute façon, j'aime mieux retourner au chevet de mon frère, y file un mauvais coton de ce temps-là. On va aller y
tenir compagnie.

— Votre frère est au camp ?

— Trois de mes frères sont là. Le plus
jeune est couché depuis trois jours, avec
une grosse fièvre du yâble.

— Vous l'emmenez pas à l'hôpital ?

— L'hôpital ? Ha !

Je n'ai pas insisté. De deux choses l'une :
soit les hôpitaux étaient trop loin, soit ils
n'existaient pas. Ça restait à vérifier. Avec
un peu d'Internet, j'aurais pu télécharger
une carte satellite des environs, mais apparemment, on en était encore à l'époque des
montres solaires.

Une fois le bois minutieusement cordé
– pour cause d'orgueil, je m'abstiendrai
ici de faire un compte rendu du travail
que j'ai accompli dans l'après-midi –, nous
nous sommes lancés dans la forêt dense
pour rejoindre le camp. Mon corps n'était

plus qu'une masse souffrante dévitalisée, un poids encombrant que je devais traîner comme un boulet. Dire que j'avais cru que passer les journaux était difficile...

Tout au long du chemin, le bûcheron, qui s'appelait Théophile – juré craché, c'était son vrai nom –, m'a raconté mille et une histoires d'ours, de carcajous (carca-quoi?) et d'hommes qui se perdent dans le bois et qui meurent de froid, de faim, quand ils ne sont pas dévorés par des animaux sauvages. Il n'existe apparemment qu'un seul moyen, pour ces pauvres étourdis, de retourner en ville sans y laisser leur peau : vendre leur âme au diable et sauter dans un canot volant. Je n'ai pas osé lui demander s'il croyait vraiment à ce genre de trucs, j'avais peur de ce qu'il me répondrait. J'avais surtout besoin de le savoir sain d'esprit.

Et pendant tout ce temps, je me faisais du mauvais sang pour Big qui finirait vraisemblablement par entrer dans la légende comme les autres. Je n'aurais jamais pensé dire ça un jour, mais je rêvais de le voir apparaître, sain et sauf, avec sa face de cauchemar, même si cela supposait qu'il réintègre son personnage de petit dictateur merdeux qui sévissait dans ma vie et dans celle de tant d'élèves.

11

Le camp

Après une interminable marche dans la forêt pleine de pièges (« *Watch* ben où tu mets les pieds, y a des nids de guêpes partout ! »), nous sommes arrivés dans une espèce de clairière où s'élevaient quelques bâtiments en bois rond.

— Regarde ben, le jeune : de ce côté-là, c'est la cabane des gars, la cookerie est à droite, la boutique de forge est au fond, à côté de la *shed* à foin pis de la *shed* à bois, le *campe* du *jobber* est juste en face. La cabane des mesureurs est à l'autre bout, à l'orée du bois. T'auras pas d'affaire là, de toute façon.

Je ne comprenais strictement rien à ce qu'il racontait. Devant moi s'élevaient des petites maisons composées de rangées de billots empilés percés d'une porte et d'un trou approximatif dans lequel on avait coincé une vitre pour en faire une fenêtre. Partout où mes yeux se posaient, il y avait du bois, couché, debout, pêle-mêle. C'était un camp de bois construit dans le bois par des gars qui sentaient le bois, forts comme des arbres. Je me suis littéralement effondré de bonheur devant cet embryon de civilisation. Mes jambes ont ramolli, mes genoux ont plié et j'ai embrassé le sol. La face bien étampée dans le tapis de feuilles en décomposition, j'ai pris un moment de repos. Mon bûcheron a eu peur.

— Ça va, le jeune ?

— Oui oui, c'est beau, je me suis juste enfargé.

Encore l'orgueil, je n'y peux rien.

On s'est d'abord dirigés vers la cookerie d'où sortait une fumée chargée d'odeurs que je ne reconnaissais pas. Je connaissais assez d'anglais pour savoir qu'il y avait l'idée de cuisine dans le mot « cookerie » et j'étais donc tout à fait d'accord pour commencer par là. Il n'y avait pas l'ombre d'une épicerie ou d'un dépanneur nulle part.

Dans la pénombre de la pièce mal éclairée, deux hommes s'affairaient autour d'un grand poêle. Le premier brassait quelque chose qui mijotait dans un énorme chaudron en métal, l'autre pétrissait une pâte à même la table, comme s'il massait un grand corps sans os. Sur les tablettes, au mur, s'étalaient de gros sacs de farine, des poches de toutes sortes, des conserves géantes. Pas de légumes à l'horizon, exception faite d'un énorme sac de carottes et d'une poche de pommes de terre posés à terre, dans le coin près de la porte. L'épidémie de brocolis ne faisait apparemment pas encore de ravages à cette époque-là.

— Ben quin, Saint-Onge, qu'est-ce tu fais là ? T'as-ti déjà pilé ton quota[1] ?

Mon bûcheron s'appelait Saint-Onge ! Comme mon client fantôme ! Ça ne pouvait pas être une coïncidence. Impossible de

---

1. « T'as-ti déjà pilé ton quota ? » : « As-tu déjà réussi à abattre tous les arbres que tu voulais couper aujourd'hui ? »

le reconnaître, je ne voyais que son bras chaque matin.

— Oui, monsieur, pis j'ai cueilli un 'tit nouveau qui est venu s'engager, je l'amène au *jobber*. Y nous est arrivé une histoire pas possible, va falloir que je conte ça aux gars à soir.

— Euh… s'cusez, je viens pas vraiment m'engager…

— Pas une autre de tes histoires à coucher dehors, Saint-Onge?

— Ben non, une histoire d'ours. Toute une histoire à part ça! Si le jeune s'était pas trouvé là, probablement que t'aurais mis mes restes dans ta soupe à soir, mon Marcel.

— Y aurait fallu que je te dépoile avant de te mettre là-dedans.

— Pis le plus incroyable, c'est que même une fois le jeune monté sur mes épaules pour faire comme un grand carcajou sorti des enfers, l'ours continuait à foncer sur nous autres pour nous écorcher vifs!

Un sacré conteur, le bûcheron. Même si je ne m'y connaissais pas en ours, je pouvais affirmer hors de tout doute que l'animal n'avait jamais montré le moindre signe d'agressivité, encore moins le désir de « foncer » sur nous pour nous « écorcher vifs ». Il avait levé le nez pour renifler autour et s'en était retourné pépère, comme il était venu, sans se presser.

— Coudonc, y avait-ti la rage, ton ours ?

— Je peux pas te le garantir, mais ça m'étonnerait pas pantoute. Pis là, juste comme on allait commencer à réciter notre chapelet...

Je n'avais aucune idée de ce qu'était un chapelet.

— ... je me rappelle que le jeune a une ruine-babines dans sa poche, fait que j'y dis de la sortir pis de faire un boucan du yâble !

C'est seulement à ce moment-là que je me suis souvenu de ce que je faisais dans cet invraisemblable endroit. J'ai tiré l'harmonica du fond de ma poche et l'ai tenu devant leurs yeux en espérant que l'un des deux cuisiniers s'écrie : « Ah ! ma ruine-babines ! Je la cherchais depuis si longtemps ! Merci le jeune ! » Mais les deux hommes, après avoir jeté un regard peu intéressé à mon trois quarts d'instrument, se sont remis à travailler vigoureusement en n'accordant qu'une oreille distraite à l'histoire de pêche[2] qu'inventait mon bûcheron.

— En tout cas, m'en vas vous raconter toute l'histoire après le souper, là je traverse voir mon frère.

— J'aime mieux te le dire, y va pas fort. On l'a fait dormir avec une ponce de gin, mais y continue de se cracher les poumons. Le *jobber* est descendu à' cache pour y trouver du remède pis ramener du tabac. Tant qu'à faire, y va remonter des mitaines pis des feutres pour les bottes.

— Ça tombe ben, le petit est arrivé sans son bagage.

— Pas de bagage? Tu t'en venais coucher des arbres avec ta ruine-babines, le jeune?

— C'est pas ma ruine-babines.

— C'est à qui?

— C'est ça que je cherche, justement.

— Arrives-tu de la foire ambulante?

— De la quoi?

---

2. Histoire de pêche: histoire farfelue pleine d'exagérations.

— J'ai jamais vu une attricure pareille...

Évidemment. Mais je pouvais comprendre : je portais toujours des espadrilles bleu et jaune striées de lignes vert fluo, un pantalon de course bleu royal, un coupe-vent gris sur un chandail en polar bleu poudre et une casquette des Canadiens de Montréal. Quand je m'habillais, au petit matin, j'enfilais les vêtements que j'attrapais au hasard jusqu'à me couvrir suffisamment, selon la saison. Je me fichais totalement d'avoir l'air d'un sac de Skittles, j'étais tout seul avec ma charrette blanche dans une mer d'ombres noires. Avant d'aller à l'école, je me changeais. Mais dans ce décor brun et vert forêt, j'avais l'allure d'une pouliche psychédélique.

Pour boire, on a utilisé la même *dish*, qu'on a plongée plusieurs fois dans le *tub* à eau, puis on a volé quelques galettes à la *jam* sur une tablette au-dessus du *sink* avant d'aller dans le dortoir des *boys* pour voir le petit frère mal en point. Ils semblaient tous souffrir du même tic : ils nommaient les choses, les endroits et les gens en anglais tout en faisant des phrases en français.

Nous sommes passés devant un immense bac à compost au-dessus duquel s'énervaient des myriades de grosses mouches noires. « Ça, c'est la moutonne, pour les restants. » Je ne voyais pas le lien entre cette grosse poubelle de pourriture puante et un mouton. Un gros tas de manger en décomposition. Pas étonnant que ce soit si repoussant : le mot pour le désigner commençait par « mou ».

Dans le camp des hommes, c'était encore beaucoup plus sombre que dans la cookerie. Il n'y avait qu'une seule fenêtre pour faire entrer le jour dans la grande pièce surchargée d'hommes et d'objets. En plein centre, un poêle dégageait une faible chaleur qui ne parvenait même pas à tuer l'humidité. Sur l'un des lits superposés qui occupaient l'espace autour du poêle, un homme était allongé, abrité sous une couverture de laine grise. Dans la pénombre, on ne voyait que le blanc de ses yeux.

— Salut, mon Pierrot, ça va-ti un peu mieux ?

— Oui, je pense ben que je vas être bon pour reprendre ma *run* demain.

— T'es pas l'air ben fringant, faut que tu te refasses des forces avant.

— Tu sais ben que le *jobber* nourrit pas ceux qui font pas leu' cordes.

— Occupe-toé pas de t'ça, on s'est entendus.

— Je veux pas que tu paies pour moi.

— Occupe-toé pas de t'ça, j'te dis.

— Je vas être correct demain.

— Si t'es pas mieux betôt, va falloir descendre en ville, on aura pas le choix.

— On en a pour deux jours rien qu'à descendre.

Pierrot s'est mis à tousser, secoué de grands spasmes qui le pliaient en deux.

— Le boss va nous prêter les chevaux de charroyage, ça va prendre une demi-journée.

— Je veux pas jumper !

— Personne parle de jumper, on va t'empêcher de crever !

— De toute façon, je vas être correct demain.

Je me suis approché du malade en marchant sur la pointe des pieds, comme si, de cette façon, j'allais empêcher que son état ne se détériore encore. Il avait les traits tirés, les joues creuses. Pas besoin d'être médecin pour voir que ça n'allait vraiment pas. Il reposait sur un matelas fait de branches de sapin – côté confort, on repassera. La fièvre se lisait surtout dans ses yeux mouillés. « Le regard se couvre de brume quand le corps surchauffe », comme dit Visine. J'aurais pu jurer sur la tête de Crénini que ce gars-là ne serait pas en mesure de lever quoi que ce soit le lendemain matin, pas même une mini-pitoune. Ni demain ni pendant un bout de temps encore.

— C'est qui, lui ?

— Ah, c'est un petit nouveau.

— Le *jobber* l'a fait monter pour me remplacer ?

— Ben non, inquiète-toé pas, je l'ai trouvé dans le bois, y est monté tout seul.

— Y va quand même me remplacer.

— Pas de danger, y a mis presque une journée à me piler une demi-corde.

— Pfffff…

Il riait, d'un rire d'abord léger et joyeux comme un roulis de clochettes, qui s'est vite transformé en une toux caverneuse.

Entre deux crachats, son corps se tendait de tous ses muscles pour forcer l'air à réintégrer, au prix d'un sifflement inquiétant, son mécanisme enrayé.

Les hommes ont commencé à revenir de la forêt au compte-gouttes, selon l'emplacement de leur rond de bois par rapport au camp. Quand ils passaient la porte, ils mettaient quelques secondes à s'acclimater à la noirceur et se dirigeaient sans hésiter vers le jeune malade. La tuque à la main, cérémonieusement, ils y allaient de commentaires encourageants auxquels Pierrot répondait avec un enthousiasme un peu forcé : « Merci ben, mais je me sens mieux, j'aiguise ma sciotte à soir pis demain, je descends aux aurores moi itou. » À la façon qu'ils avaient de baisser la tête et de lui tapoter l'épaule, on voyait bien qu'ils n'y croyaient pas.

Une fois près de leur lit, les hommes se déshabillaient et accrochaient leurs vêtements trempés de sueur sur les cordes à linge qui encombraient tous les espaces disponibles de la cabane. Malgré la quantité de bois et de branches de sapin dans la place, l'odeur rance des hommes s'imposait avec une étonnante violence, comme si on venait de remplir la pièce d'une multitude de poches de hockey. J'ai eu beau chercher du regard, il n'y avait pas l'ombre d'une douche ou d'une installation pouvant servir à laver des corps.

Pour tout le monde, j'étais le petit nouveau venu s'engager. Et pour occuper quel poste? On attendait encore l'arrivée du *jobber* pour le savoir. Mais le détail de mes inaptitudes à bûcher s'était répandu aussi rapidement que l'histoire de l'ours enragé auquel nous avions échappé de justesse grâce à ma ruine-babines.

12

La ruine-babines

— Montre-nous donc ça, le jeune, c'te ruine-babines-là.

Une bonne vingtaine de gars se dégourdissaient les muscles dans la cabane à ce moment-là. Chacun s'affairait dans la lumière déclinante du jour. J'ai sorti l'harmonica sans me presser, plutôt convaincu qu'il n'appartenait à personne. J'avais peut-être atterri à la mauvaise époque. À preuve, l'harmonica n'avait encore ému personne.

— En fait, je cherche à qui elle appartient.

— Tu l'as trouvée où ?

— Je l'ai pas trouvée, on me l'a confiée. C'est un peu compliqué…

La porte s'est brusquement ouverte. Un homme d'une stature imposante l'a franchie en baissant la tête pour mieux se déployer. Une grue. C'est le mot qui m'est venu. Un homme-grue sûrement capable de creuser une piscine à mains nues.

— SALUT, LES *BOYS*!

Une vague de testostérone a balayé la place. Sous le choc, j'ai même un peu reculé. Saint-Onge, mon bûcheron, s'est tapé le front d'une grande claque. Le pan de mur venait aux nouvelles.

— Comment va notre malade?

Personne n'a répondu, sauf le malade qui a poussé un « Mieux! » peu convaincant. Le géant a retiré son chapeau qu'il a tordu d'une main angoissée, comme pour ravaler sa déception. Il a tout de suite enchaîné:

— Pis, Saint-Onge, t'as pilé tes deux cordes?

— Bahhh... j'ai pas pu...

— Ah ben, bonyenne! Tu me dois 10 cennes!

— J'ai pas pu faire autrement, y a eu le jeune qui a ressoud de nulle part, pis l'ours...

— Toi aussi ?

— T'as croisé mon ours ?

— Non, j'suis tombé sur un jeune écarté…

Il a fait un pas de côté et Big est apparu derrière lui, recroquevillé comme une coquerelle aux aguets. Il était vraiment dans un sale état : si on m'avait dit qu'il avait erré dans le bois pendant six mois, je l'aurais cru. Il donnait même l'impression d'avoir maigri.

— BIG ! Euh… David ! Salut, *man* !

C'est sorti tout seul. Je me suis retenu de lui sauter dans les bras. Il me faisait tant plaisir en étant là, vivant, je n'allais tout de même pas l'humilier.

— Ah ben ! Vous vous connaissez, les deux lurons ?

— T'arrives-ti de la foire ambulante, toé 'si ?

— Je sais pas d'où y arrive, mais y a pas inventé la vaillance, laisse-moi te dire ça ! Y savait même pas de quelle main tenir la hache !

— Ha ! Ça m'étonne pas ! Les jeunes d'aujourd'hui… y ont pus le cœur à l'ouvrage comme avant !

— Y deviennent paresseux comme c'est pas permis à cause des machines…

Pendant que les bûcherons faisaient notre procès et celui de notre génération, Big a sorti quelque chose de sa poche et l'a fièrement exhibé devant mes yeux.

— Tu l'as trouvé !

— Par hasard. Je marchais les yeux à terre, au cas où, pis j'ai vu de quoi briller… J'ai essayé de revenir, mais je vous ai jamais retrouvés.

— Vite, donne !

En fourrageant nerveusement dans mes poches, j'ai pu attraper mon canif, déplier le micro-tournevis, dévisser les petites vis demeurées dans les trous – et les mettre sur ma langue pour ne pas les perdre –, replacer la pièce et la revisser solidement. J'étais prêt.

— ÉCOUTEZ-MOI ! EST-CE QUE QUELQU'UN AURAIT PERDU SA RUINE-BABINES ?

Je la brandissais comme un trophée. C'était notre passeport de retour, notre droit de sortie, notre clé des champs pour la ville. L'instrument est passé de main en main, certains y ont mis la bouche pour en tirer des sons un peu mous – ils partageaient déjà tous la même *dish*, pourquoi pas une musique à bouche – jusqu'à ce qu'il revienne dans mes mains sales d'apprenti bûcheron aux ongles encrassés, couvertes d'éraflures.

— C'est à personne ? Vous êtes sûrs ? Mais ça se peut pas !

Big s'est mis à me susurrer sa rage à l'oreille, du bout des lèvres.

— T'es mieux de me ramener d'où c'est que je viens *right now*, sinon m'a t'en câ...

— Attends, je l'ai pas vue, montre !

Le malade venait de se redresser sur sa paillasse. Il me tendait une main tremblante. J'ai déposé la ruine-babines dans le creux de sa paume humide.

— C'est à moi ! Enfin, pas encore, mais... qu'est-ce qu'a fait là ? J'avais demandé à Léopold de me la mettre de côté...

— Léopold ?

— J'étais pour l'acheter à son magasin en redescendant, quand j'aurais ma paie.

— T'es sérieux ?

— Il l'avait même enlevée de sa vitrine pour moé… Regarde icitte, y a une *scratch*…

— Une quoi ?

— Une grafigne, un petit "x", c'est moé qui l'ai fait.

S'il n'avait pas autant toussé, je crois qu'il l'aurait mangée tant il était content de l'avoir en main. Mais il voulait comprendre pourquoi j'avais « sa » ruine-babines.

— C'est le père Lévesque qui te l'a vendue ?

— Euh… non… c'est pas ça…

— Tu l'as volée ?

— NON ! Non non, c'est Visine qui me l'a donnée pour que je te la rende…

— Qui ?

— Son vrai nom, c'est Thérèse…

— Thérèse Beaudoin ? La belle Thérèse du rang 18 ?

— Euh… oui, peut-être…

Le gars ont commencé à siffler et à raconter toutes sortes de blagues de cour d'école, niveau primaire. Ils se donnaient de grandes tapes dans le dos comme les gars virils dans les publicités de chars. On venait de passer, en quelques petites

phrases, d'une ambiance de salon funé-
raire à celle d'un party de *boys*. Les hivers
devaient être longs dans le fond des bois.

Le jeune Saint-Onge s'est mis à souffler
dans l'instrument pour lui en tirer de la
musique, de la vraie, de jolies mélodies
qui donnaient envie de se taire, d'écouter,
de battre du pied (entre deux quintes de
toux). Les gars se sont installés sur leur lit
pour vaquer à leurs affaires, se défaire de
leurs bottes – bonjour l'odeur! – limer leur
sciotte, rouler des cigarettes qu'ils fumaient
là, dans leur lit, sans se donner la peine
d'aller pousser leur poison à neuf mètres
de la porte comme la loi l'exige à peu près
partout à mon époque. J'ai refusé la ciga-
rette qu'on m'a tendue; Big l'a acceptée.
Il s'est étouffé comme s'il venait d'avaler
une grande tasse d'eau par les poumons. Il
n'avait pas l'habitude des cigarettes roulées
à la main, sans filtre. Les gars se sont un
peu beaucoup payé sa tête.

Puis le jeune malade a enchaîné, les
yeux fermés, des airs si tristes que plus
personne n'osait parler, ni même bouger.
L'instrument glissait sur ses lèvres, comme

on s'essuie une larme. C'étaient des tounes de fièvre et de poumons suffoqués. Les notes ont saturé l'air déjà quasi irrespirable.

Tout près de moi, juste assez pour que je puisse les entendre, le grand Saint-Onge discutait avec un autre bûcheron plus âgé : il était question de descendre en ville dès le lendemain matin. « On peut pus attendre », qu'il a dit. J'étais bien d'accord. Ils allaient demander au *shoboy* de partir seul, dès les premières lueurs du jour, pour aller en ville « quérir » le médecin et le conduire à l'auberge de madame Jodoin, à mi-chemin. On éviterait ainsi une bonne partie de la route au malade.

C'est au moment précis où j'ai posé ma main sur l'épaule de Big en lui soufflant « On va pouvoir rentrer en ville bientôt ! », que tout s'est dérobé autour de nous. En l'espace d'une fraction de seconde, les trottoirs, les rues, les poteaux électriques, les maisons, les autos, les poubelles et tout le reste ont poussé comme des champignons. La ville venait d'avaler tout un pan de montagne plein de bûcherons. Il n'y avait plus que quelques arbres qui avaient résisté à l'urbanisation et du gazon jauni bien discipliné qui mourait doucement à l'approche de l'hiver. J'ai alors fait le constat suivant : dans un camp de bûcherons, ça sent très bon dehors et diablement mauvais dedans ; dans la ville, ça sent généralement bon dedans et passablement mauvais dehors. Ça expliquait peut-être pourquoi j'étais moins heureux que prévu de rentrer.

À côté de moi, Big cherchait encore son souffle. Il crachait des bouts de tabac.

— On est où ?

— Pas loin de chez nous, sur ma *run*.

— Ta *run* de quoi ?

— De journaux.

On se trouvait devant la maison de monsieur Saint-Onge. Il y avait nécessairement un lien entre le vieux grincheux et les bûcherons qu'on venait de quitter, mais je ne voulais pas me lancer dans des explications à plus finir avec Big. Je n'aurais même pas su par où commencer.

— *Man*... c'est fucké...

— Je sais.

— T'approches pus jamais de moé.

Le monde à l'envers. J'en ai profité pour en rajouter.

— Tu vas être capable de rentrer chez vous ?

Il a fouillé ses poches, sorti son cellulaire.

— J'ai du réseau…

— T'as été absent toute la nuit, tes parents ont dû s'inquiéter.

— Mêle-toé de tes affaires.

Son air mauvais venait de réapparaître sur ses traits durcis. Il a reniflé un bon coup et tourné les talons avec sa démarche chaloupée de grosse brute, ce qu'il était soudainement redevenu. Son arrogance dans des vêtements trempés et boueux était cependant moins convaincante. Au fond, je ne connaissais pas son histoire, même si j'en devinais les grandes lignes. Certaines personnes reçoivent plus de coups que de cadeaux dans leur enfance. Les cicatrices ne se voient pas toujours.

Je ne sais pas ce qui m'a pris, c'est sorti tout seul.

— Y a un gars l'autre jour à la radio qui disait que tous les agresseurs ont déjà été agressés… Cent pour cent des agresseurs…

Il a ralenti sans se retourner. Son personnage réintégrait sa carapace, celle dont il avait tant besoin pour survivre ici, j'imagine. Et pour moi-même, j'ai murmuré le bout important avec lequel l'invité avait conclu : « Mais tous les agressés deviennent pas des agresseurs. Y en a qui s'en sortent, des fois. »

Au coin de la rue, il a bifurqué à droite.

13

Monsieur Saint-Onge

J'étais plongé dans mes idées noires quand le bonhomme Saint-Onge, contrairement à son habitude, a ouvert toute grande la porte et s'est pointé sur le perron, la main droite sur la hanche, l'autre sur une canne, la tête heureuse. Bon, ce n'était pas un tout jeune homme, ça se voyait qu'il avait atteint son quota de rides depuis longtemps, mais il souriait et me saluait. Et je l'ai reconnu : c'était mon bûcheron, un peu rapetissé, tout chiffonné, mais tout de même lui.

— Bonyenne qu'y fait beau ! Ça va, Joe ?

— Euh... oui...

— Bon, tu m'amènes-ti des bonnes nouvelles à matin ? Y ont-tu abandonné leur maudit projet de pipeline qui va nous gâcher le décor ?

Il a fait quelques pas dans ma direction en traînant ce qui semblait être une jambe de bois. Je n'ai pas été discret comme on doit l'être en pareille circonstance : mes yeux ont instinctivement fixé la partie du corps qui ne suivait pas le reste.

— Je t'ai-ti déjà raconté l'histoire de c'te jambe-là ?

— Euh… non, c'est pas ça que je regardais, en passant…

— J'étais pas vieux, dans le temps, une petite vingtaine peut-être. J'étais au chantier depuis le début de l'automne pis l'hiver s'annonçait frette comme la Sibérie, je l'avais lu dans l'*Almanach*[1]. On était arrivés par la rivière, cette année-là, le camp était loin, la *run* était dure. Le courage des

---

1. *L'Almanach du peuple* : une publication annuelle très populaire au Québec entre la fin du 18e siècle et les années 1950. Il contenait une multitude de renseignements utiles et moins utiles : les dates importantes de l'année, les fêtes religieuses, les marées, des prévisions météo à long terme, des recettes de cuisine, des trucs et astuces pour faire un peu tout, etc.

gars qui étaient montés avait pas son pareil dans toute l'histoire des Amériques, sauf peut-être dans le temps des dieux grecs, pis encore... Un beau jour, j'étais là, tranquille à bûcher sur mon rond de bois, c'était dans le temps du bûchage à 'mitaine, je te le jure que t'avais le temps de repasser tes péchés cent fois quand t'étais pogné comme ça tout seul dans le bois avec tes pensées pis des bataillons de mouches noires qui essayaient juste de te rendre fou, pis mon gars, dans ce temps-là, y piquaient, les mouches, c'était pas de la petite mouche toute feluette comme celle d'aujourd'hui, tout affaiblie par les zinsecticides pis la pollution, oh non, c'était de la mouche à chevreuil, de la mouche à cheval pis à orignal, de la vraie, ça mon gars, ça t'arrachait un bout de jarret avec des mandibules carnassières pas croyables, c'était comme si elles avaient des pièges à ours dans 'gueule, ces mouches-là. Mais en parlant d'ours, ce jour-là, toujours ben, me v'là-ti pas tranquille en train de finir ma tranche de lard quand un ours, un vrai, quasiment un grizzly, peut-être même plus gros que ça, y avait la tête dans les nuages, je te mens pas, enragé de pas avoir trouvé une talle de bleuets capable de le contenter...

— Euh... s'cusez... s'cusez...

— T'as-ti déjà croisé un ours ?

— Euh... oui, mais un petit, ordinaire.

— Fait que le v'là-ti pas que lui s'enligne sur moé pour m'arracher la tête d'un coup de patte...

— Pis Pierrot ?

— ... hein ?... comment ça, Pierrot ?

— Qu'est-ce qui est arrivé à Pierrot ?

— Pierrot qui ?

— Votre frère, votre jeune frère.

— Ah ! Ce Pierrot-là...

Il a baissé la tête et est devenu tout sérieux, comme un gamin qu'on gronde. Les deux mains sur sa canne, il a regardé au loin en poussant un grand soupir.

— Mort, mon Pierrot, mort.

— Mais vous êtes descendus en ville, vous l'avez emmené chez le docteur !

— Mais de quoi tu parles, mon Joe ?

— Au chantier, quand y était malade, vous l'avez emmené en ville...

— Comment tu peux savoir ça, toé ?

— Euh… vous me l'avez déjà raconté.

Un petit mensonge ne ferait de mal à personne.

— Ah ! Oui, ç'a été toute une expédition, cette fois-là. On est partis à l'aube, y avait une petite brume qui enfumait le bois, ce matin-là, pis, comme un mauvais présage, le cheval du *jobber* s'est cabré quand on a voulu y mettre une selle, lui d'habitude si docile, une belle bête, avec une robe noire du yâble, mais un cœur tendre comme du bois de pin, toujours ben que ce matin-là, y refuse…

— Vous l'avez pas sauvé ?

— Attends, je vais y arriver.

— Mais j'ai pas le temps, vous me direz les détails une autre fois, s'il vous plaît, monsieur Saint-Onge.

— C'est dommage, c'est tellement une belle histoire…

— Demain, peut-être ?

— OK, ben on se voit demain comme ça, bonne journée.

— Mais la fin de l'histoire de votre frère ?

— Tu m'as dit que tu la connaissais.

— Euh… je me rappelle plus la fin.

— Bah… T'es sûr que tu veux pas attendre d'avoir réentendu le reste ?

— Sûr !

— Ah ! Les jeunes d'aujourd'hui, toujours pressés.

— Et…

— Eh ben, on l'a pas sauvé.

— Noooon ? Y est mort ?

— Non, y s'est sauvé tout seul, entêté de même, ça se peut pas. Le docteur nous a dit que c'est son moral qui l'avait sauvé, son moral pis sa ruine-babines, je dirais. Les remèdes qu'on y a donnés, c'était pour la forme, y a guéri par en dedans. C'est bien connu, ça prend un bon moral pour rester en vie, les hommes qui ont l'humeur chagrine meurent plus vite que les autres, c'est écrit dans les livres…

— Mais vous avez dit qu'y était mort ?

— Oui, y est mort. On l'a enterré en pleine jeunesse, à 'veille de ses 79 ans. Ses poumons avaient gardé une petite faiblesse, c'est pour ça qu'y est mort jeune de même. Autrement, y s'enlignait pour passer minimum la centaine. On est de même dans 'famille. Mais parlant de poumons, faut que je te raconte l'histoire de la truite qui avait fini par apprendre à vivre en dehors de l'eau. C'est qu'à force de se sortir la tête, un petit peu plus chaque jour pour voir le monde – c'est comme n'importe quoi, le corps s'habitue –, ben y a fini par y pousser des poumons...

— Monsieur Saint-Onge, faut vraiment que j'y aille, ma petite sœur m'attend.

— Baaah! Vas-y, mon grand, on se rattrapera demain ou après-demain, j'suis pas sorteux.

Au coin de la rue, je me suis arrêté pour savourer la nouvelle: le jeune Saint-Onge s'en était sorti. En partie grâce à moi, peut-être. À nous, en fait, Big, Visine et moi. C'était quand même bien de ne pas mourir les poumons éclatés dans le fond des bois à même pas vingt ans. Et quelle transformation chez mon client fantôme!

Comme je voyais l'heure passer et que je ne voulais inquiéter personne, j'ai couru comme un fou jusqu'à la maison, les pieds bien sanglés dans mes espadrilles beurrées de boue ancestrale.

Quand je suis entré dans la maison, Lili s'est jetée sur moi comme si elle ne m'avait pas vu depuis des années, lâchant même Crénini, le dieu de l'univers, pour mieux m'étreindre. Elle a pris mes mains dans les siennes, ses mini-paluches de soie blanche, les a regardées sous tous les angles avant de se mettre à pleurer.

— Mais non, Lili, pleure pas comme ça. C'est juste des petites écorchures de rien du tout. Je vais mettre de la crème à Visine, pis d'ici deux-trois jours, y aura plus rien.

— T'as pas le chocolaaaaaat!

— Oups! J'ai oublié. Attends, je reviens.

Je suis reparti au pas de course, dans le sens inverse. C'était la première fois que j'oubliais le chocolat.

14

Monsieur Popo

Au dépanneur, monsieur Popo était là, fidèle au poste, avec sa bonne humeur habituelle, inébranlable, « en béton armé », comme disait mon père. Si ce que le bonhomme Saint-Onge disait était vrai à propos du pouvoir de l'humeur, il aurait fait un sapré bon colon. Popo, c'était le nom de son dépanneur, pas le sien, mais tout le monde l'appelait comme ça. Je pense que ça lui plaisait.

— Hé ! Champion ! Je t'ai vu passer en courant tantôt ! Où tu t'en allais de même ?

— J'étais en retard ! Pis j'ai complètement oublié les laits au chocolat !

— Pourquoi t'étais en retard ?

— Ce serait long à expliquer.

— J'ai tout mon temps…

— Savez-vous qui était propriétaire avant vous ?

— Ben quin ! Léon Marchand ! Ha ! Ha ! Ha ! C'est même pas une blague ! Y t'avait un caractère sec comme une toast pas beurrée, cet homme-là. J'ai jamais compris comment y avait fait pour tenir un dépanneur…

— Pis avant lui ?

— Ah ben là, j'suis pas si vieux que ça. Je l'ai pas connu.

— Dommage…

— Pourquoi ?

— Je voulais savoir si y a déjà eu un magasin général dans le coin. Dans l'ancien temps, je veux dire.

— Oh ! Oh ! Oh ! Je m'en vais te montrer quelque chose d'intéressant pour toi, mon champion !

Il a pris le tabouret sur lequel il avait coutume de s'asseoir derrière son comptoir et on est allés ensemble sur le trottoir. Le jour finissait de s'installer, les gens sortaient doucement de leur maison pour aller gagner leur vie ou perdre leur temps ici, là ou là-bas. Juché en équilibre précaire, monsieur Popo s'est mis à tirer sur le coin de l'auvent qui couvrait la devanture de son commerce sur laquelle on pouvait lire :

DÉPANNEUR-BIÈRE-VIN-LOTERIE-TABAC

Quand on y pense, c'est étonnant qu'on y laisse entrer des enfants.

— Approche, Joe ! Regarde ça !

Sous l'auvent, sur une enseigne installée sur des montants en genre de métal vissés à l'ancienne façade en bois, on pouvait encore lire en lettres sculptées qui conservaient quelques traces de peinture enfouie dans leur creux :

J.C. LÉVESQUE ~ MAGASIN GÉNÉRAL

— Wow ! C'est vrai ! Chez Lévesque ! Elle venait de là, la ruine-babines !

— Y faisaient des belles affiches, dans ce temps-là. Le bois est trop cher astheure, pis faudrait trouver quelqu'un capable de sculpter…

Après avoir chaleureusement remercié monsieur Popo, j'ai repris ma course avec mes laits au chocolat pour ne pas inquiéter davantage Lili. Mon père m'attendait, lui aussi, en sirotant un café deux sucres deux laits. Ses grosses mains calleuses m'avaient toujours fasciné, à cause de leur épaisseur, des cicatrices qui les couvraient, des bouts d'ongles manquants, des lignes si profondes qu'une voyante aurait eu le vertige en essayant d'y lire un quelconque avenir. Ce matin-là, par contre, je ne les voyais plus de la même façon : ce n'était plus des bouts de corps meurtris, mais de précieux outils.

À sa façon de me regarder, j'ai senti qu'on allait finir par avoir une conversation. Je me suis cramponné à mon lait au chocolat, pour avoir l'air un peu plus occupé que je ne l'étais en réalité.

— Tes mains...

— Mmm ?

— Pis tes vêtements...

— C'est rien, j'ai pris un raccourci, des branches.

— Ah.

— ...

— Lundi...

— Mmm…

— Linda va venir.

— Merde !

— On dit pas "merde".

— …

— C'est juste en attendant.

— …

— Pis tu vas pouvoir garder ta *run*.

C'était un « en attendant » qui se présentait plutôt mal. Linda était la femme qui aimait beaucoup mon père et qui aurait bien voulu être sa blonde – ça se devinait dans tous ses gestes d'affection téteux mielleux dont elle l'enduisait quand elle le voyait. Mais nous, Lili, Crénini et moi, on ne l'aimait pas. Point. Si on avait eu un chat, il n'aurait pas aimé Linda lui non plus. Même chose pour un chien, un furet ou un canari. C'est une question d'instinct. Je savais bien que c'était une bonne personne, avec « un bon fond », comme disait Visine, et qui aurait mérité un peu de bonheur, voire beaucoup – autrement mon père ne s'en serait pas approché –, mais on ne pouvait pas la prendre avec nous, dans notre vie, notre appartement déjà trop petit, nos cœurs tordus. C'était complet, merci. Et quand Lili me demandait pourquoi on ne l'aimait pas, je lui fournissais quelques raisons faciles à comprendre pour une enfant de son âge.

— Elle ressemble à la méchante dans Blanche-Neige.

— Celle avec du noir autour des yeux ?

— Oui.

— Elle est méssante ?

— J'aime mieux pas savoir. Toi ?

— Non !

— Pis en plus, elle pue le pouchepouche à toilettes.

— Pou'quoi ?

— Peut-être qu'elle passe son temps aux toilettes.

— Pou'quoi ?

— Parce que c'est une grosse péteuse.

— Ouach !

J'avoue : c'étaient des raisons parfaitement malhonnêtes, d'abord parce qu'elles étaient fausses, ensuite parce qu'il est interdit de détester quelqu'un pour si peu, c'est écrit dans toutes les chartes des droits de l'homme qui ont de l'allure. Il n'y a que dans le sport qu'on a le droit de détester les gens pour des riens, en fait c'est même un peu fait pour ça, le sport. Par exemple, à la veille d'un match contre les Bruins de Boston, on peut dire qu'on les déteste parce qu'ils ont l'air d'une bande de gros légumes. Tout le monde trouve ça logique ; ils sont l'ennemi, on les haït, pas besoin de chercher des raisons de midi à quatorze heures, leurs têtes ne nous reviennent pas, c'est bien suffisant. C'était pareil pour Linda. Même si sa présence ici me permettrait de garder ma *run*.

15

Pierrot

J'ai enfourché mon vélo et foncé à toute vitesse vers l'hôpital. J'avais à peu près deux millions de questions pour Visine.

Comme la première fois, j'ai réussi à me glisser jusqu'à elle sans trop de problème, le gouvernement n'ayant pas encore décrété que les infirmières méritaient des renforts, ce qui les laissait trop occupées pour me voir longer les murs.

Dans sa petite chambre vert maladie, Visine n'était plus qu'un tas de chiffons au fond d'un lit. Ça m'a coûté de la réveiller, mais je constatais qu'elle avait raison et que le temps pressait désormais. Elle vieillissait à une vitesse folle dans cet endroit.

— Visine! Visine!

— Oh! Doux Jésus… Joe?

— Oui. Comment tu vas, Visine?

— À merveille, mon chou.

— On dirait pas.

— Mais oui, je pète le feu.

— OK, je te crois.

— Pourquoi tu te caches?

— C'est pas l'heure des visites.

— C'est vrai?

— Je voulais savoir, pour la ruine-babines.

— Quelle ruine-babines?

— Tu m'as donné une ruine-babines, hier.

— Ah?

— Ben oui, une ruine-babines toute rouillée, je l'ai prise dans ton étui bleu.

— Si tu l'as rendue au propriétaire, je l'avais pas hier, en fait je l'avais plus.

— Oui, je sais. Mais je m'en souviens, moi, pourquoi pas toi?

— T'as modifié le passé, Joe. Dans ma réalité, à moi, y a pas de ruine-babines.

— Mais tu t'en souvenais, toi, quand tu rapportais des trucs dans le temps?

— Oui, comme toi.

— Raconte!

— Ah! les aventures folles que j'ai vécues…

— Comme quoi? T'es allée où?

— Y a des choses qui se racontent pas, mais une des dernières fois, je me suis retrouvée au centre-ville, avec un allumeur de réverbères, un bel homme…

— Un allumeur de quoi?

— De réverbères.

— C'est quoi, ça?

— C'est la personne qui allume les réverbères, les lampadaires, si t'aimes mieux.

— Mais y s'allument tout seuls, les lampadaires.

— Aujourd'hui, oui, mais pas dans le temps. Bon, raconte-moi donc ton histoire de ruine-babines.

— Tu sais, monsieur Saint-Onge, le vieux de la 4e Avenue.

— Le vieux fou?

— Euh…

— Celui qui raconte toujours des histoires?

— Oui, c'est lui! Mais y était pas comme ça, avant! Le matin de la ruine-babines, je me suis retrouvé avec lui, quand y était jeune, dans le bois, où y avait plein d'autres gars, pis son frère malade, Pierrot, c'était à lui la ruine-babines, fait que y est pas mort finalement, pis le vieux Saint-Onge qui était un vieux grincheux est devenu comme super fin avec des histoires d'ours pis une jambe de bois!

— Wow! J'ai rien compris de ce que tu viens de raconter! Je sais que les Saint-Onge montaient au chantier, pendant que la pauvre mère restait sur la terre avec les petits pis tout le train à se taper toute seule, mon Dieu, c'étaient des femmes courageuses, c'est effrayant...

Je savais maintenant ce que ça voulait dire, « faire le train[1] », j'avais fait l'effort de le chercher.

— Visine, c'est super important : tu le connaissais, Pierrot?

— Ah! Le beau Pierrot...

— Pourquoi t'avais sa ruine-babines?

— C'était pas encore "sa" ruine-babines, Lévesque l'avait juste mise de côté pour lui.

— Mais c'est toi qui l'avais!

---

1. Faire le train : traire et nourrir les vaches, prendre soin de tous les animaux.

— Je me rappelle de l'avoir eue, y a long-temps. Mais hier, je l'avais pas.

— OK, c'est vrai, tu pouvais pas l'avoir, hier, vu que je l'avais rapportée. Mais pourquoi tu t'étais retrouvée avec, dans le temps, si c'est Pierrot qui devait l'acheter ?

— Parce que Lévesque a accepté de me la vendre.

— Y avait pas le droit, 'était réservée !

— Je voulais y donner moi-même. Lévesque pouvait pas refuser.

— Pourquoi ?

— Devine…

— T'étais amoureuse de lui ?

— Bah, quand j'ai su, après, qu'y voulait marier Bernadette…

— T'as gardé l'harmonica ?

— Ben non, je l'avais pu. J'ai jamais compris d'ailleurs.

— C'est normal, tu me l'as donné hier pour que j'y redonne !

Évidemment, les deux histoires se fracassaient l'une sur l'autre. Dans le présent, Visine avait acheté et perdu l'harmonica sans trop comprendre pourquoi ; son souvenir s'arrêtait là. Dans le passé, Visine n'avait jamais offert l'harmonica à Pierrot, puisqu'elle l'avait encore hier.

— Pierrot serait peut-être mort si j'étais pas allé là-bas ?

— Comment savoir, mon chou ?

— Mais est-ce que ça se peut, sauver quelqu'un en retournant dans le passé ?

— Ben… y m'est pas arrivé d'affaire de ce genre-là, je me suis jamais posé la question.

— Mais penses-tu que ça se peut ?

— Je sais pas…

— Si le bonhomme Saint-Onge a tant changé après l'histoire de la ruine-babines, y s'est peut-être passé quelque chose qui a transformé sa vie ?

— Oui, j'imagine que c'est possible.

— Visine ?

— Qu'est-ce qu'y a, mon petit Joe ?

J'ai hésité, je n'avais jamais posé une question aussi importante.

— As-tu quelque chose qui a appartenu à ma mère, dans ton étui ?

— Mon Dieu, mon chou…

J'ignore de quoi je devais avoir l'air, mais elle m'a regardé avec des yeux pleins de pitié, des yeux qui cherchaient à m'étreindre. Je n'ai jamais autant espéré qu'on me dise « oui » de toute ma vie. Une grande larme a perlé au coin de son œil avant de se diviser en plusieurs micro-ruisseaux dans les plis de ses joues. J'ai su avant qu'elle parle que j'allais être très déçu.

— On aurait rien pu faire de plus pour ta mère, je te le jure.

— Mais si on l'avait su avant ?

— On aurait pas pu le savoir avant.

— C'est pas vrai ! J'suis sûr que c'est pas vrai !

— C'est pas juste, Joe, je le sais…

J'ai posé ma tête au bord du lit pour ne pas l'écraser tout en restant caché. Avec les petits doigts maigres de sa bonne main, elle s'est mise à me gratter le cuir chevelu, comme elle le faisait souvent pour me calmer quand j'étais plus petit. Je n'étais plus bon à rien quand elle me faisait la passe du râteau, mon cerveau se légumifiait, mon corps paralysait. Entre ses doigts, j'étais une marionnette sans volonté.

Marie était morte d'un cancer fulgurant, comme ont dit les médecins. Je déteste, depuis, tout ce qui est fulgurant. Rien de ce qu'on aurait pu mettre dans l'étui ne l'aurait sauvée. Sa magie ne pouvait rien pour nous. Elle resterait morte. Je m'en suis beaucoup voulu d'avoir cédé à l'espoir. Il me fallait maintenant recommencer, réapprendre à vivre sans elle, encore. Maman…

Quand j'ai rouvert les yeux, la superinfirmière venait de me harponner avec son regard laser pour m'extirper de là sans lever le petit doigt. Visine dormait, paisiblement, comme une Blanche-Neige qu'on aurait oubliée pendant des siècles.

Je suis docilement passé de l'autre côté du lit et j'ai fait mine d'aller vers les toilettes.

— Faut que j'aille aux toilettes avant de partir, j'en ai pour deux minutes.

— Je te donne exactement deux minutes, pas une seconde de plus.

Dès qu'elle est sortie, je me suis faufilé dans la garde-robe, puis j'ai fouillé dans la sacoche à la recherche de l'étui bleu. Il ne contenait plus qu'un seul objet, une sorte de montre ronde cachée sous un couvercle en métal qu'on pouvait lever d'un coup sec en pressant un bouton. Un peu comme un chronomètre de course. Un petit anneau perçait ce bouton afin de permettre à une chaîne, assez longue pour être passée autour du cou, de transformer l'objet en un genre de collier. C'était une montre magnifique et fabuleusement compliquée, ternie par le temps, tout en métal finement travaillé. Une fois le couvercle soulevé, l'intérieur de la montre, protégé par une vitre légèrement égratignée, montrait des petites roulettes dentelées qui s'emboîtaient à la perfection. Elle ne fonctionnait plus, évidemment, qui sait depuis combien d'années elle attendait d'être délivrée de l'étui. Je l'ai retournée dans tous les sens pour trouver par où changer les piles, sans rien découvrir. C'était peut-être une montre à énergie solaire, ou quelque chose du genre.

Comme j'avais peur de l'abîmer davantage en la glissant dans ma poche, j'ai « emprunté » un beau paquet de mouchoirs à l'hôpital pour lui faire une couche de protection un peu moelleuse, comme un nid au fond de ma poche.

16

Le livreur de glace

Le lendemain, il pleuvait à boire debout. Ce n'est jamais très pratique pour les journaux qui en profitent pour boire un coup et retourner à l'état de pâte à papier. Mais comme la pluie donne une touche dramatique aux événements, elle s'accordait parfaitement bien à mon humeur légèrement angoissée.

Je ne pouvais deviner où la montre allait m'amener, cette fois, mais je n'ai rien voulu laisser au hasard. J'ai mis mes bottes de marche, un jeans épais, une veste à carreaux, une casquette des Yankees (celle de mon père), un imperméable, des gants de travail, tout ça dans un agencement de couleurs qui contrastait joyeusement avec ma blanche charrette. J'étais prêt pour la grande aventure, la forêt, les bêtes sauvages et tout le reste. Dans la poche droite de ma veste, la montre, dans la gauche, un lait au chocolat, petit format, dans la poche intérieure, comme toujours, mon inutile téléphone-roche cellulaire. Accroché à mon cou, le sifflet de secours orange que mon père portait pour aller à la pêche. Je sais : un sifflet pour se battre contre un ours, c'est ridicule. On ne choisit pas toujours ses armes.

Lili dormait encore quand je suis parti. Je l'ai regardée en pensant qu'il pourrait m'arriver tant de choses d'ici son réveil, je courais même le risque de ne jamais revenir. Cette minuscule fillette était ce que j'avais de plus précieux au monde. Et vice-versa. Fallait que je sois prudent.

Ma charrette était pleine à craquer ce matin-là, les journaux débordaient de publicités, de mauvaises nouvelles et de clichés de la grosse face de Trump. Comme toujours, on parlait du trop-plein de l'Amérique – obésité, inondations, surconsommation – et du trop-peu de certains pays d'Afrique – famine, sécheresse, absence de soins médicaux. Les spécialistes de tous les pays du monde s'entendaient cependant sur le fait qu'on finirait tous, sur tous les continents, par manquer de nourriture et d'air, comme un banc de poissons jetés hors de l'eau, ou noyés par la fonte des glaciers. La section cinéma, quant à elle, offrait un compte rendu détaillé des derniers films postapocalyptiques chargés de nous montrer, en 3D, ces joyeuses fins du monde. Du joli.

Je me suis dépêché de distribuer mes journaux pour ne pas avoir trop de travail au retour (de je ne sais où), étant donné que je ne pouvais savoir dans quel état je réapparaîtrais chez moi. Monsieur Saint-Onge a bien sûr essayé de m'attraper avec l'une de ses histoires de pêche, mais comme il pleuvait des cordes quand je suis arrivé chez lui, il n'a pas insisté. Je ne parvenais presque plus à l'imaginer dans son ancien rôle de vieux grincheux effarouché. Tant mieux, il y avait désormais un homme-qui-a-vu-l'homme-qui-a-vu-l'ours[1] dans notre quartier, et ça me plaisait.

Il ne me restait que deux journaux bien ficelés dans le plastique protecteur au fond de ma charrette quand j'ai touché sans le vouloir la montre au fond de ma poche, encore enveloppée de mouchoirs. J'ai fermé les yeux pour ne pas être trop étourdi et je les ai rouverts sur une belle journée ensoleillée.

La température avait fait un 180 degrés pour prendre des allures de jour d'été. Il n'y avait pas d'asphalte ni de béton, mais des maisons de différentes tailles, bordées d'arbres. Aucun immeuble à appartements nulle part. Des gens déambulaient à pied sur d'étranges trottoirs fabriqués en lattes de bois. J'avais l'impression de circuler dans une reconstitution de village d'antan, comme celui qu'on avait visité avec l'école. Les gens ne faisaient pas de cas de ma présence, même si ça se voyait tout de suite à mon « attricure » que je n'étais pas du coin.

---

1. Homme-qui-a-vu-l'homme-qui-a-vu-l'ours : un conteur d'histoire qui fait plein de détours et part de très loin pour raconter son récit.

Une espèce de corbillard sur roues tiré par un cheval et conduit par un homme qui portait un béret et des bretelles (sans blague!) s'est arrêté devant moi. Le cocher est descendu de son perchoir et s'est dirigé vers l'arrière du véhicule, en sifflotant un petit air joyeux. Armé d'une énorme pince d'arracheur de dents, il s'est enfoncé dans le corbillard pour en tirer un truc qui semblait très lourd, quelque chose comme un cadavre. Et comme j'étais certain qu'il s'apprêtait à sortir de là un corps ou un cercueil, je me suis un petit peu évanoui à la vue des premiers centimètres du gros truc blanc translucide qu'il avait réussi à attraper.

Quand je suis revenu à la vie, l'homme au béret était penché sur moi, les yeux grands comme des frisbees. Il semblait content de me voir.

— Où t'as pris un chapeau pareil? C'est donc ben une drôle de forme!

— Euh... c'est une casquette...

— T'as pas l'air de filer, t'es blêmette à faire peur. Tiens, j'ai un bloc qui s'est brisé, t'es chanceux.

Il m'a alors tendu un gros glaçon en forme de prisme irrégulier.

— Colle-toi ça sur le front, tu vas reprendre des couleurs.

— Merci.

— Où c'est que tu t'en allais de même, toé-là?

— Euh...

— Je t'ai jamais vu dans le coin. T'es-tu un nouvel engagé?

— Non, c'est à cause de la montre, attendez...

Je l'ai tout de suite retrouvée au fond de ma poche, là où je l'avais déposée. Elle avait évidemment pris un coup de jeune: elle reluisait, la dentelle d'acier n'était plus noircie. Je n'ai pas pu retenir un petit «wow!». Visine disait souvent que le temps arrange les choses. Elle ne m'avait jamais dit que ça marchait dans les deux sens, en avançant comme en reculant.

— Monte, si tu veux. L'horloger est sur ma *run*.

— Ah, c'est pas à vous?

— T'es drôle, toi.

— Pourquoi vous dites ça ?

— C'est une montre de femme.

De nos jours, c'est facile à reconnaître, une montre de femme. On ne pose pas de question, on la regarde et on sait tout de suite. Il y a des signes distinctifs qui ne trompent pas, des fleurs, un bracelet rose ou des brillants incrustés quelque part. À ma décharge, la montre que je tenais à la main était en métal, entièrement en métal, couleur métal, et contrairement à ma charrette, personne n'était intervenu pour modifier son destin en la peignant en blanc, par exemple. Et j'avais tout naturellement toujours associé le métal aux hommes, sans raison. Il n'y a rien qui empêche les filles de porter une montre en métal, au fond. La mode nous fait réfléchir comme des pieds, parfois.

— Je livre ça pis je te reviens.

Je m'étais royalement trompé : la pièce qu'il sortait du corbillard n'était pas un corps, mais un gros cube de glace, comme ceux qu'on utilise pour faire de la sculpture sur glace, l'hiver. Sans trop d'effort, il l'a fait valser jusqu'à son épaule, comme une poche de patates. Il a ensuite posé sa main sur l'extrémité avant, pour l'équilibre, et s'est mis à marcher comme d'autres font une petite promenade de santé. Cet homme-là aurait vraiment eu besoin d'une paire d'épaulières de hockey. Ou d'une armure de chevalier.

Je l'ai suivi vers la maison devant laquelle il avait stationné son espèce de calèche à glace, sans attendre qu'il m'invite. Je tenais trop à savoir ce qu'il allait faire de son bout de banquise. Une fois sur le perron, il a ramassé le carton rouge sur lequel était inscrit le nombre 25 avant d'entrer en criant, sans même frapper ou sonner : « Ouvrez la glacière, c'est l'hiver ! » Une femme est apparue en frottant ses mains sur son tablier tout enfariné.

— Regarde donc ça qui s'amène !

— Bonjour, vous ! Hé que ça sent bon icitte ! Qu'ossé que vous nous cuisinez de bon aujourd'hui, ma'me Dumoulin ?

— Rien de ben spécial, des tartes à 'rhubarbe pis un bon gros tout-ce-qui. Oh ! Regarde donc ça, t'as amené ton plus vieux ?

— Non non, c'est un engagé qui a eu un coup de chaleur sur la rue. Je l'amène chez Alfred, pour une histoire de montre. Mon plus vieux fait le train pis les récoltes chez les Dufour pour les semaines de beau temps.

— Ah! Tant qu'y a de l'ouvrage!

— On se plaint pas.

Nous l'avons suivie dans la pièce contiguë où elle a soulevé la partie supérieure d'un meuble en bois qui ressemblait à s'y méprendre à une vieille commode. À l'intérieur, dans la cavité couverte de métal, un bout de glace finissait de fondre, comme un iceberg miniature agonisant. D'un petit coup de sa main libre, l'homme fort a retiré le morceau pour y déposer sa charge taillée à la mesure du meuble. J'ai pensé que ce serait bien si on pouvait régler comme ça le problème de la fonte des icebergs à notre époque. Suffirait de les remplacer une fois fondus.

— Bon, votre 'tit lait va rester frais, ma'me Dumoulin.

— Merci ben, Jim. Avec cette chaleur-là, les affaires doivent être bonnes.

— Pour ça, on peut pas se plaindre non plus ! Je vous fais le bonjour, là, pis à toute votre trâlée.

— Je vous remercie ben.

— Pis toi, jeune homme, tu t'en vas comme apprenti chez l'horloger ?

— Euh… non, je voulais juste lui remettre ça.

La montre lui appartenait peut-être. C'était devant chez elle que j'avais atterri, après tout. Je la lui ai tendue.

— Oh là là, la belle pièce ! C'est pas toi qui l'as faite, toujours ben ?

— Non, non non ! En fait, je cherche à qui elle appartient.

— Alfred va pouvoir te dire ça, avec les gravures à l'intérieur. Oh ! Attends ! Jim, passes-tu chez la veuve Simard aujourd'hui ?

— Pour sûr, j'ai un bloc cassé pour eux autres.

— C'est ben fin. Tu y donneras ça, j'en fais toujours trop.

Elle m'a tendu une grosse tarte encore tiède, avec des petites fleurs de lys coupées dans la pâte, comme Visine le faisait dans les siennes.

Nous nous sommes encore arrêtés comme ça dans quelques maisons avant d'arriver chez un cordonnier. J'avoue : je n'étais encore jamais allé chez le cordonnier. Celui-là tenait son magasin dans sa propre maison. Pendant que Jim livrait la glace dans une pièce située tout au fond, j'ai jeté un coup d'œil sur les tablettes remplies de vieilles chaussures et de bottines usées qui attendaient là je ne sais trop quoi : pour moi, elles étaient toutes bonnes pour la poubelle. Certaines étaient littéralement percées, d'autres n'avaient même plus de semelle. J'étais en train de me dire que je me trouvais probablement dans la partie musée de son atelier quand je l'ai vu attraper l'une de ces paires de vieilleries pour les examiner attentivement.

— Bon bon bon ! Veux-tu ben me dire comment y fait pour user ça rien que d'un bord de même, lui...

— Vous allez les réparer ?

— C'est pour ça qu'on me les a laissées !

203

— Me semble qu'elles sont vraiment maganées.

— C'est sûr, mais je vais te les remettre sur le piton, ces bottines-là. Je vais renforcer le contrefort, juste ici, changer trois-quatre œillets, ressemeler, faire un bon cirage, donner une bonne dose d'amour sur les bouts. Elles vont être comme neuves d'ici la fin de la journée !

Pendant qu'il m'expliquait tout ça, mes yeux se promenaient d'une étagère à l'autre à la recherche des plus mal aimées, quand je suis tombé sur quelque chose d'incroyable : les espadrilles que m'avait « empruntées » Guillaume Couture ! Elles étaient là, complètement anachroniques, sur la plus haute tablette, dans un état lamentable, mais je les reconnaissais ! Certaines parties avaient même déjà été remplacées par des pièces de cuir.

— Celles-là !

— Lesquelles ? Ah ! J'en ferai pas des jouvencelles, c'est une vraie cause perdue, celles-là. J'ai jamais vu d'aussi mauvaises chaussures de toute ma vie ! Ça fait 10 ans que les Couture me les rapportent, bon an

mal an, mais j'y peux rien, tout est mal
fait, les matériaux sont trop fragiles, les
semelles sont même en carton! Si tu veux
mon avis, je sais, c'est terrible ce que je vais
dire, mais je vais le dire pareil: je pense que
ces souliers-là ont été faits exprès pour pas
être raccommodés. C'est un pacte avec le
diable! T'imagines l'enfer que ce serait s'il
fallait s'acheter des nouvelles chaussures
chaque fois qu'elles se brisent? Pour tout
te dire, mon garçon, celles-là me font peur.

Il me regardait avec des yeux catastro-
phés, une brume noire voilant ses pensées.
La fin du monde se profilait devant lui
dans de formidables amas de souliers irré-
parables, bons pour la poubelle. Je me suis
bien gardé de lui raconter comment ça se
passait à mon époque où l'on jetait non seulement tous les vieux souliers, mais aussi
tous les vêtements et autres objets passés
de mode, encore parfaitement en état de
servir. Et si je lui avouais que les compa-
gnies s'ingéniaient à concevoir des objets
destinés à se briser à une date donnée pour
nous forcer à en acheter d'autres, il aurait
été bon pour la crise cardiaque.

— C'est pas pour moi la belle tarte que tu tiens là, toi ?

— Euh... non, c'est pour euh... madame Simard.

— Ah, la pauvre femme...

Le livreur de glace était de retour.

— Bon, Paul-Émile, j'ai taillé tes restants de glace, tout est rentré. Je te fais le bonjour !

— Tu passes chez la veuve, si je comprends bien ?

— Oui, j'ai un bloc cassé pour eux autres.

— M'en vas te donner les souliers du petit qu'elle m'a laissés y a un bon bout de temps. Si on attend encore, ça y fera plus.

C'étaient de charmantes petites bottines qui avaient beaucoup vécu, ça se voyait dans les mille et un plis du cuir remplis de cire noire. Les semelles étaient toutes neuves. Je crois qu'il avait mis beaucoup d'amour dans celles-là.

Je suis reparti avec mon livreur de glace et nous avons longé une rue parallèle à l'écart de la route principale. Nous nous sommes arrêtés devant une maison délabrée, dont les volets claquaient au vent, comme dans un film d'horreur.

— Viens m'aider, on va prendre les bouts du bloc cassé.

— Pourquoi les bouts cassés ?

— Parce que.

J'avais l'habitude de ce genre de discussion avec mon père. J'ai pris un gros bout cassé dans une main, l'autre tenait toujours la tarte.

— Ouvrez la glacière, c'est l'hiver !

— Ah, bonjour, Jim, mais j'ai pas mis mon carton, je pouvais pas...

— Ben non, Blanche, c'est juste un bloc cassé.

— Encore ?

— Ça brise à rien, ces blocs-là, surtout quand y fait chaud.

— Ah, bon, c'est tellement généreux. Je sais pas quoi te dire...

— Arrête ça. Tu me débarrasses. C'est moi qui devrais te remercier.

Dans son meuble à elle, il n'y avait pas de restant de glace. C'était bien sec. Blanche tenait un enfant dans ses bras, presque nu. D'autres petits jouaient dehors, dans le champ de foin qui bordait la maison. Dans la pièce centrale, il y avait très peu de meubles.

— T'auras un peu de fraîche pour ton lait, toujours ben.

— Oui, quand ça va adonner.

Je me suis approché pour lui tendre la tarte et les souliers.

— La tarte, c'est madame Dumoulin, les souliers, le cordonnier.

Elle n'a pas pu dire un mot, sa main s'est rapidement rabattue sur sa bouche. Seul un petit « oh ! » de surprise s'était taillé une brèche entre les doigts. J'ai tourné les talons pour ne pas la gêner davantage.

— Je vous fais le bonjour, là !

— Bonjour... merci... mille mercis...

Une fois assis sur le banc de la charrette, je n'ai pas posé de questions. Je savais qu'il finirait par dire quelque chose, comme mon père quand on ne lui demande rien.

— C'est une veuve, une pauvre veuve. Pratiquement pas de revenus, à part ce que peuvent gagner les deux plus vieux. Avec six autres bouches à nourrir... Quand j'ai des bouts cassés, je passe par ici.

— Pis quand vous en avez pas?

— Ça se brise à rien, ces blocs-là.

Il m'a fait un clin d'œil complice.

Je pourrais dire que je n'avais pas eu le temps de penser à la montre. On me croirait sans problème. Mais je suis bien obligé d'avouer que je n'ai tout simplement pas eu le courage de la lui montrer, à cette femme, parce que j'aurais eu l'impression de la narguer avec un si bel objet. Comme s'il était impossible qu'elle ait reçu un jour une telle montre. Comme si les pauvres n'avaient pas le droit aux belles choses. Je me suis détesté.

Juste comme nous revenions sur la route principale, nous avons croisé le laitier. Il conduisait une très ancienne camionnette neuve qui tirait une plate-forme remplie de gallons en métal comme ceux qu'utilise Visine pour mettre des quenouilles dans son appartement.

— Salut, mon Jim! Tu viens-ti de laisser un petit coup de frais à la veuve Simard?

— Ben oui, j'avais un bloc cassé.

— Ah ben, bel adon! J'avais justement un demi-gallon qui allait se perdre aujourd'hui.

— Bel adon!

— À la revoyure!

Ça m'a ému, tous ces « adons ». Je n'avais encore jamais vu ça dans le présent, où les pauvres sont pourtant si nombreux.

17

La montre

J'en étais à me dire que je m'étais beaucoup trop habillé quand nous sommes
arrivés chez l'horloger. Il habitait une jolie
petite maison bordée de fleurs colorées et
d'arbres aux branches tombantes. C'était
un cocon de verdure, de toute évidence trop
petit pour toute une famille. Sur sa porte,
il y avait un carton rouge sur lequel un 25
était inscrit.

— Ouvrez la glacière, c'est l'hiver!

— Ça veut dire quoi, le 25 sur le carton?

— C'est pour un 25 livres de glace. Y en
a qui demandent du 50.

À l'intérieur, c'était un peu comme
chez les bûcherons, tout en bois, des murs

au plafond, mais en miniature. À l'exception de la belle grosse horloge grand-père qui faisait tic-tac sur le mur du fond, tout le reste semblait adapté à des mains d'enfants. Les commodes ne comptaient pas deux ou trois tiroirs, comme chez nous, mais des dizaines de tout petits, bien cordés. On aurait pu coucher un Crénini dans chacun d'eux pour les remplir complètement. Devant nous se dressaient deux tables de travail recouvertes d'outils très fins, de pots pleins de vis microscopiques, de boîtes en bois plantées de tournevis et d'autres instruments conçus pour travailler dans l'infiniment petit. Autour de l'horloger, affairé à placer une pièce grosse comme une tête d'épingle dans un boîtier en métal, des dizaines de minuscules roulettes dentelées et autres morceaux de métal finement taillés disposés dans un ordre bien précis formaient une fleur. Je me suis mis à respirer sur la pointe des poumons. Ce n'était décidément pas une bonne journée pour l'habit de bûcheron.

— Dérange-toi pas, Alfred, je te mène ça
à bon port.

Je suis resté là, complètement hypnotisé
par cet homme qui, muni d'une espèce de
binocle posé sur l'œil droit, était plongé
dans son univers lilliputien. Il avait de
beaux doigts fins, allongés, presque blancs.

— Deux petites secondes, mon ami.

Évidemment, même les secondes étaient
petites, ici.

Quand il a fini par relever la tête, j'ai
été fort étonné de constater qu'il était très
jeune. Peut-être à cause de la position dans
laquelle il travaillait, j'avais imaginé un
vieil homme un peu tordu, fripé par le
temps qu'il essayait avec tant de patience
de mettre en boîte. Au contraire, c'était
un homme aux yeux rieurs, aux cheveux
blonds. Il a remonté sa petite loupe sur son
front avant de me tendre la main. Bon, il
avait une moustache en pointes lissées, tout
ne peut pas être parfait.

— Bonjour, jeune homme.

— Bonjour.

— Vous êtes un nouvel engagé des gla-
cières ?

—Non, non, je suis ici à cause de la montre.

—Ah? Une montre?

—Elle doit être au fond de ma poche.

J'ai fouillé mes poches en surface pour faire semblant de ne pas savoir exactement où je l'avais mise. Si la montre lui appartenait, je risquais d'être ramené à ma charrette blanche sans préavis, dans une rue bétonnée percée de quelques arbres un peu rabougris, plusieurs décennies plus tard. J'avais encore envie de le regarder travailler. Je me suis planté à côté de lui, comme Lili pendant que je fais mes devoirs. Il s'était remis à l'ouvrage en attendant que je retrouve la montre.

—Qu'est-ce que vous faites, monsieur?

—Je répare une montre de gousset. On a été bien dur avec elle.

—Pis vous savez comment faire?

—C'est moi qui l'ai fabriquée, pièce par pièce. C'est un objet unique. Vous voyez, ce petit morceau, là?

—Mmm mmm.

—C'est son cœur.

—Wow!

— Les montres sont comme Sisyphe[1], elles courent après ce qui ne s'arrête jamais, il leur faut une bonne pompe.

Je ne connaissais pas de *sprinter* appelé Sisyphe, mais je comprenais l'idée. Les pièces qu'il maniait étaient si petites qu'elles disparaissaient sous ses doigts pendant les manipulations. C'était comme travailler à l'aveuglette.

— Et cette montre, vous l'avez ?

Je la tenais dans le creux de ma main enfoncée dans ma poche, comme un oiseau blessé. Je l'ai doucement tirée de là pour la lui montrer, en espérant secrètement qu'il ne réagisse pas. Je ne sais pas trop ce qui me dérangeait le plus : partir de là ou perdre la montre. Pourtant, les deux étaient inévitables.

Il s'est levé d'un bond, ahuri, la loupe encore bien vissée sur l'œil.

— Qui vous a donné cette montre ?

---

1. Sisyphe : dieu grec de la mythologie qui est condamné à rouler une grosse pierre jusqu'en haut d'une colline ; chaque fois qu'il est sur le point d'atteindre le sommet, elle dévale la pente et Sisyphe doit recommencer à zéro.

— C'est un peu compliqué...

— Qui ?

— En fait, la montre est à Thérèse.

— Je sais, je l'ai fabriquée pour elle...

— Pour Thérèse ?

— Elle vous a donc chargé de me la rendre ?

— Euh... non, pas vraiment.

— Non ?

— Non, c'est compliqué.

Il a longuement inspiré, expiré, soulevant la jupe légère de sa fine moustache, avant de se rasseoir pour essayer de retrouver son calme.

— J'ai pris la montre dans l'étui bleu, c'est tout ce qui restait.

— L'étui bleu ?

— Oui, c'est un étui bleu dans lequel Visine mettait des choses...

— Visine ?

— Thérèse.

— C'est l'étui dans lequel je lui ai fait parvenir la montre.

— Ah, je savais pas.

— Est-ce que je peux jeter un coup d'œil à la montre ?

— Oui, bien sûr.

De retour de la cuisine où il venait de remplir le meuble de glace, Jim nous regardait en se frottant les mains sur son pantalon de grosse toile. Il avait les joues roses d'un gros bébé.

— Bon, vous allez pouvoir régler ça, cette histoire de montre !

L'horloger l'a cueillie dans ma main avec mille précautions bien étranges, comme si elle était en sucre, avant de la déposer sur sa table de travail, à l'envers. Avec la pointe d'un tournevis grosse comme une aiguille, il a soulevé la pièce au dos de la montre avant de fermer les yeux, comme pour formuler un souhait. J'ai pensé que les horlogers, comme les sportifs, avaient leurs rituels à respecter avant de s'exécuter. Toutes ces histoires de mesure du temps, au fond, relevaient peut-être d'une forme de superstition. Je me suis fait tout petit et silencieux, pour ne rien déranger. Jim, penché sur la table de travail, retenait son souffle.

Quand l'horloger a fini par rouvrir les yeux, il a retourné la pièce et a commencé à lire les inscriptions, la loupe pratiquement collée au métal de la montre, en se mordant la lèvre à moitié cachée par la moustache.

Ce qui s'est ensuite passé, je ne l'ai pas tout de suite compris : l'horloger s'est mis à rire, d'abord doucement, puis comme un fou. Il tapait des pieds et des mains, semant le chaos dans la géométrie parfaite des pièces disposées sur la table. Cet homme-là était visiblement heureux, et d'un bonheur contagieux : le livreur a éclaté de rire derrière moi sans même comprendre ce qui rendait l'autre si heureux. J'aurais dû me méfier et ne pas me retourner, c'était exactement ce qu'attendait la Réalité pour reprendre sa place. L'atelier s'est volatilisé et je me suis retrouvé sous la flotte, avec une poignée de mouchoirs trempés dans la main. On aurait dit des cocons de chenilles abandonnés.

J'ai livré les deux journaux qu'il me restait et couru à toute vitesse à la maison. Lili était agrippée aux rideaux, Crénini entre les dents. Elle l'a laissé choir en me souriant à pleines dents. Mon père dormait encore. Le retour au travail ne serait pas facile.

18

Visine

J'ai suivi le même dédale de couloirs que les fois précédentes pour atteindre la chambre de Visine. Évidemment, je me suis retrouvé dans les jambes de mon infirmière préférée, alors que je rampais comme un espion amateur pour éviter le poste d'accueil.

Elle a doucement plié les genoux pour se mettre à ma hauteur. Ses yeux étaient très doux, très tristes, pas du tout comme ceux d'une infirmière fâchée. Elle m'a tapoté le bras, comme on le fait pour consoler quand les mots manquent. Je pourrais aller où je voulais, ce jour-là. Quand il n'y a plus d'interdit, c'est que ça va vraiment mal.

Visine n'était plus dans sa chambre. Mais à l'exception du lit défait, tous les autres objets étaient encore en place. Il y avait des fleurs à moitié fanées dans un pot, des pantoufles tricotées par terre, un verre d'eau, des petits bonbons à la menthe enveloppés individuellement, un journal replié et même une photo, dans un cadre. C'était la première fois que je remarquais cette photo.

Dans le cadre en bois sculpté, on voyait Visine, beaucoup plus jeune, qui donnait le bras à un homme tout de brun vêtu. Autour d'eux, en un petit cercle serré, trois hommes et une femme aux coupes de cheveux ridicules souriaient en se tenant par les épaules. Des jeunes adultes avec des drôles d'attricures.

— Joe, je suis désolée.

J'ai pivoté à toute vitesse. Cette voix m'était inconnue.

— Elle est morte tout à l'heure, on m'a appelée ce matin. Mes frères aussi ont été avertis. On allait justement téléphoner à ton père.

Une belle grand-mère aux cheveux blancs remontés en un lourd chignon se tenait devant moi, les mains jointes en une boule compacte. Aux regards de tendresse qu'elle me jetait, elle avait l'air de bien me connaître. Je crois qu'elle s'attendait même à ce que je lui saute dans les bras ou quelque chose comme ça. Mais je ne connaissais pas cette femme. À ses yeux bouffis, on comprenait qu'elle avait beaucoup pleuré. J'avais, moi aussi, une folle envie de pleurer.

— Tiens, c'est pour toi. Hier, quand je suis venue la voir, elle m'a dit qu'elle tenait absolument à ce que ce soit toi qui l'aies. C'était son étui spécial depuis toujours. Je n'ai moi-même jamais su ce qu'il avait de si spécial, cet étui-là. Elle m'a dit que tu saurais quoi en faire.

— Euh... oui. Oui.

— Ta petite sœur va bien ?

— Lili ? Oui.

— Elle va trouver ça dur, elle aussi.

— C'est sûr.

En acceptant l'étui bleu, j'ai constaté que la dame portait à son cou la fameuse montre au bout d'une belle chaîne en argent. Elle a remarqué ma surprise.

— C'était la montre de ma mère.

— Votre mère ?

— Mais oui, ma mère. Ça va, Joe ? Tu te sens bien ?

— Oui oui oui… C'est le choc.

— Cette montre était très précieuse pour elle. J'ai su que c'était fini quand elle me l'a donnée, il y a quelques jours.

— Quand ?

— La semaine passée.

— Mais je… j'suis vraiment désolé pour vous.

— Merci, Joe. Je le suis pour toi, je sais qu'elle était comme votre mère.

J'ai eu très mal à l'estomac, comme si je venais d'avaler une poignée d'aiguilles.

— J'imagine que tu connais l'histoire de la montre ?

— Euh… non, je pense pas.

— Non ? Ça m'étonne beaucoup, elle la racontait à tout le monde. La grande histoire d'amour scellée dans une montre. Viens voir.

Elle a pris une pince qui retenait ses cheveux et l'a déformée comme le font les voleurs dans les films quand ils veulent crocheter une serrure. Une fine mèche en a profité pour se détacher du reste et former une virgule sur sa joue. Elle a ensuite utilisé la pince pour ouvrir la montre, par le dos, comme l'avait fait l'horloger quelques minutes plus tôt, à quelque 70 ans près.

Gravés dans le métal, se lisaient ces mots : « Je vous aime. » Et juste en dessous, maladroitement tracé : « Moi aussi. » Je me suis tout de suite précipité vers la photo. Ça m'avait échappé à cause de l'absence de la moustache : c'était l'horloger, aux côtés de Visine. Ils s'étaient mariés et avaient eu des enfants !

— Alfred !

— Oui, mon père.

— Y est où ?

— Oh ! Il est mort depuis longtemps.

— S'cusez-moi ! Désolé.

— Sois pas désolé, Joe, ça fait plus de 20 ans ! Tu le savais, non ?

— Ah oui ! C'est vrai.

La dame a légèrement incliné la tête, pour me faire comprendre sans le dire qu'elle me trouvait louche.

— Oh! J'oubliais, je sais que ça va avoir l'air bizarre, surtout aujourd'hui, mais ma mère m'avait chargée de te dire qu'un tout-ce-qui, c'est fait avec "tout ce qui reste" comme légumes.

— Pfff…

— J'imagine que tu dois comprendre.

— Oui.

J'aurais bien aimé que Visine puisse rester encore un peu, même si elle avait déjà eu beaucoup plus de temps que la moyenne des ours[1], comme elle le disait elle-même. Je sais qu'elle pensait à ma mère en disant cela. Elle est partie avec son autre histoire que je ne connaîtrais jamais qu'en partie, par les faits qui restaient consignés sur des photos, des lettres, des objets légués. Ce qui l'avait empêchée, à une autre époque, de retourner la montre à l'horloger pour lui faire savoir qu'elle l'aimait, je ne le comprendrais jamais tout à fait. J'étais intervenu sans le savoir à ce moment crucial de sa vie et l'histoire avait basculé. Elle avait pris des allures de conte de fées.

---

1. La moyenne des ours : la moyenne des gens.

C'était peut-être parce qu'elle avait eu le temps de m'enseigner une foule de petites choses qui ne s'apprennent pas dans les livres que son départ m'a finalement davantage laissé une impression de plein que de vide. Quand je détachais un vêtement avec du beurre, que je frottais une piqûre avec de la terre ou que je me débarrassais d'une crampe de mollet en ramenant mes orteils de toutes mes forces, je sentais qu'elle n'était jamais bien loin. J'ai même élaboré une recette de tout-ce-qui pour honorer sa mémoire. Elle aurait été si heureuse de savoir que je prenais soin de moi à cause d'elle. Il y a des gens comme ça qui tirent leur bonheur de celui des autres. Visine en était.

Quand je suis arrivé à la maison, la nouvelle s'était répandue et Lili vivait sa première fin du monde dans les bras de mon père qui jouait à l'homme solide, comme d'habitude. Je crois d'ailleurs que c'est de le voir encore et toujours si solide qui m'a complètement bouleversé. Il avait beau avoir des mains de fer mille fois cicatrisées et un cœur bien recousu, il n'était qu'un homme, comme moi. Dans l'odeur réconfortante de l'appartement, ma carapace s'est émiettée d'un coup et je me suis effondré sur le divan, le souffle coupé par la douleur. Je crois que ça nous aurait pris chacun un Crénini ce jour-là, au moins pour essuyer tout ce qui coulait. Un Crénini ou n'importe quel autre dieu.

Plus tard dans la soirée, quand je me suis rappelé l'existence de l'étui laissé sur la table de l'entrée, j'ai couru pour aller le récupérer avant que quelqu'un ne mette la main dessus : il était devenu argent, couleur métal. Ma couleur préférée.

Jadis, il y a bien longtemps, avant les bûcherons, les livreurs de glace, les allumeurs de lampadaires, on disait *morir* plutôt que mourir. C'était beaucoup mieux. Je ne sais pas par quelle espèce d'avachissement de la bouche on en est venu à mettre le mot « mou » là-dedans.

— Je passerai plus les journaux.

— Mais non, Joe…

— Mais oui, pour Lili.

— Mais non…

— De toute façon, c'est fini, le papier.

— Ah oui ?

— D'ici un an ou deux, c'est sûr, ils l'ont dit.

— On aurait pu s'arranger autrement...

— Non, c'est correct, je te jure.

— Pour l'argent ?

— Je vais faire des pelouses pis du pelle-tage. Au moins, je vais pouvoir dormir. J'ai jamais vraiment aimé ça, me lever aussi de bonne heure.

— Vu de même...

— Pis c'est correct pour Linda.

— Correct ?

— On est d'accord.

— D'accord pour quoi ?

— Pour qu'elle vienne, quand tu veux.

— Ah oui ?

— Oui. On a consulté Crénini, Lili et moi, pis c'est beau.

Il a souri. C'était un bel homme, mon père, il avait bien le droit de s'en servir un peu.

— Est-ce qu'y a un cordonnier dans le quartier ?

— Non, je pense pas.

— T'es sûr ?

— Pas mal, ouin. Pourquoi ?

— Parce que.

J'ai observé une minute de silence en regardant mes espadrilles en plastique nucléaire absolument impossibles à réparer. Des tue-cordonniers. Je me suis mis à rêver à des souliers de cuir chargés d'histoire.

— J'aurai pus besoin de la charrette, veux-tu que je la mette dans le cabanon ?

— Laisse-la à Lili, pour ses poupées.

— Bonne idée.

— Ta mère serait contente que ça serve.

— Pourquoi ?

— Parce que.

— Sérieux, pourquoi ?

— C'était sa charrette...

— La charrette blanche ?

— Oui. 'Était pas blanche, avant.

— ...

— Je l'ai peinturée à cause de la rouille.

La charrette n'entrait pas dans l'étui, évidemment. Pas grave, elle existait. Alors, je me suis accroché à elle comme si elle était en or. Je l'ai bichonnée toute ma vie, pour la forcer à vivre très longtemps. Je lui ai même redonné plusieurs fois une petite couche de blanc.

Après notre aventure dans le bois, Big a fait une chose fabuleuse : il m'a superbement ignoré jusqu'à ce qu'il quitte l'école à la fin de l'année. J'avais acquis la transparence dont j'avais tant rêvé. Je crois que c'était tout ce qu'il pouvait faire pour moi. Dans un film un peu poche, il serait venu me faire toutes sortes de confidences et on serait devenus des potes, des vrais. Mais dans la vraie vie, les gars comme lui essaient de survivre comme ils le peuvent. Leur violence n'est qu'un des symptômes de leur détresse.

Le représentant du journal est venu en personne récupérer mon attirail – mes poches au logo du journal, mes cartes clients et le reste. Je lui ai raconté un petit mensonge.

— J'ai perdu le poinçon pour les cartes.

— Bah, c'est pas ben grave, c'est fini le temps des poinçons.

Quand le dernier journal d'Amérique du Nord qui paraissait encore en format papier a fait le virage numérique, une petite dizaine d'années plus tard, le poinçon métallique qui avait commencé à rouiller dormait sagement au fond de l'étui gris. Je l'avais déposé là en me disant qu'un jour on aurait besoin de se souvenir que les nouvelles, jadis, voyageaient de porte en porte sur des grandes feuilles de papier salissant distribuées par des enfants.

Et j'y avais glissé d'autres objets gorgés de souvenirs qui n'attendaient qu'une main généreuse, prête à leur donner vie.

Table des matières

Viens nous rejoindre
/HpourHurtubise
/editions_hurtubise

GARANT DES FORÊTS
INTACTES

Achevé d'imprimer en février 2018
sur les presses de l'imprimerie Marquis-Gagné
Louiseville, Québec

Imprimé sur du papier québécois 100 % recyclé